Publisher ANDERSON CAVALCANTE
Editora SIMONE PAULINO
Assistente editorial SHEYLA SMANIOTO
Projeto gráfico ESTÚDIO GRIFO
Assistentes de design LAIS IKOMA, STEPHANIE Y. SHU
Revisão GABRIELA MACEDO, JORGE RIBEIRO

Dados Internacionais de Catalogação na Publicação (CIP)
(Câmara Brasileira do Livro, SP, Brasil)

Lyra, Edu
Da favela para o mundo: não importa de onde você vem, mas para onde você vai / Edu Lyra.
São Paulo: Buzz Editora, 2018.
200 pp.

ISBN 978-85-93156-52-6

1. Empreendedores 2. Empreendedorismo social 3. Experiências de vida 4. Histórias de vida 5. Lyra, Edu 6. Projeto de desenvolvimento social – Brasil I. Título.

18-13885 CDD-338.04092

Índices para catálogo sistemático:
1. Empreendedores: Histórias de vida 338.04092

Buzz Editora Ltda.
Av. Paulista, 726 – mezanino
CEP: 01310-100 São Paulo, SP

[55 11] 4171 2317
[55 11] 4171 2318
contato@buzzeditora.com.br
www.buzzeditora.com.br

EDU LYRA

DA FAVELA PARA O MUNDO

NÃO IMPORTA DE ONDE VOCÊ VEM, MAS PARA ONDE VOCÊ VAI

BUZZ

APRESENTAÇÃO

Cresci na periferia do Rio de Janeiro. Lá, meu *networking* era formado por amigos de três favelas com quem estudei por muitos anos numa escola pública do bairro Jabour: a favela do Sapo, Cavalo de Aço e Rebu.

Apesar das provações comuns de uma família de classe média baixa, eu cresci ajudando meus pais em projetos sociais da Igreja realizados em regiões carentes da Zona Oeste da cidade maravilhosa. Já naquela época, pelo menos pra nós que vivíamos bem longe dos cartões-postais e do circuito turístico, a cidade não era tão maravilhosa assim. No entanto, eu não podia reclamar. Por participar desses projetos que frequentemente ajudavam pessoas extremamente carentes, presenciei o que o fantasma da fome, da exclusão e do abandono era capaz de fazer na vida, na autoestima e no futuro de muita gente. Por isso, diante de toda escassez, eu me sentia privilegiado.

Em 2011, conheci o Edu Lyra. De cara, vi que era um menino especial. Ele tinha um brilho nos olhos diferente, um que nenhuma provação havia sido capaz de apagar. Ao contrário, ao se considerar um sobrevivente do sistema, ele brada aos quatro cantos a lição que aprendeu com sua mãe: "Não importa de onde você vem, mas sim pra onde você vai". Com este mantra, ele desafia as estatísticas para fazer uma intervenção na vida de milhares de famílias que vivem na pobreza, em regiões carentes da periferia de São Paulo. A convicção inabalável de quem saiu de um barraco de chão batido faz com que Edu não enxergue nada como impossível e tampouco permita que o vitimismo dê as cartas.

Ler este livro é fazer uma viagem por todo espectro social através do ponto de vista de quem saiu do caos de uma favela e passou a se comunicar com o topo da sociedade do capital, construindo pontes em vez de muros. Muros, aliás, que o Edu se acostumou a saltar ao longo de sua trajetória. No ano passado, na ocasião de uma palestra que ministrei em Harvard, encontrei Edu em Boston. Ele não somente participava do evento, como era aluno de um curso em uma das mais prestigiadas universidades do planeta. Mais preparado, em 2018, Edu retornou ao

Brasil para expandir o seu projeto em outras comunidades. Para isso, ele reforçou o elenco de seu time e convocou alguns empresários, como Jorge Paulo Lemann, Carlos Wizard, Daniel Castanho e Flávio Augusto (eu) a fim de conquistar mais escala ao seu projeto. Deu certo.

Não é possível ler este livro e sair indiferente. A convicção deste rapaz é algo muito sério, seu brilho nos olhos – mesmo diante das dificuldades – é constrangedor, e seu poder de mobilização é inspirador. Não por acaso, minha ligação com o Edu consegue criar uma ponte no tempo e faz com que eu ainda me sinta ajudando meus pais em seus projetos na periferia do Rio de Janeiro.

Um privilégio.

FLÁVIO AUGUSTO DA SILVA

Fundador do Geração de Valor, dono da Wise up e do Orlando City

PREFÁCIO

Cinco décadas e um abismo social me separam do Edu Lyra. Ele nasceu no final dos anos 1980, em uma favela em Guarulhos, na Grande São Paulo. Sua mãe trabalhava como diarista e seu pai foi preso depois de se envolver com drogas. Edu passou fome, conviveu de perto com o crime e durante a infância e a adolescência só teve acesso a escolas públicas.

Eu, filho de pais suíços, nasci na década de 1930 e cresci na Zona Sul do Rio de Janeiro. Estudei em colégio bilíngue, peguei onda em Ipanema e Copacabana, e aos 7 anos comecei a jogar tênis no Country Club.

Essas diferenças poderiam ter impedido que nossos mundos se cruzassem. Mas o Edu e eu nos aproximamos graças a algo que transcende origem e idade: compartilhamos dos mesmos ideais. Temos sonhos grandes e acreditamos em "correr atrás". Se existe uma meta, vamos lá buscá-la. Somos convictos de que o mundo e as pessoas podem sempre melhorar – e que nossa função é estimular essa transformação. Partimos do princípio de que todos merecem uma oportunidade e já vimos inúmeros exemplos de gente que floresce, quando tem uma chance. Somos democráticos, meritocráticos e gostamos de livre escolha. Temos certeza de que a educação, o esporte e o empreendedorismo têm a capacidade de mudar pessoas e países.

São essas crenças que nos unem e que aplicamos no nosso dia a dia. Eu, no mundo empresarial, e o Edu, no empreendedorismo social, com o Gerando Falcões, uma ONG que hoje impacta a vida de tantas pessoas em comunidades carentes e que utiliza práticas de administração de grandes empresas para se tornar cada vez mais eficiente.

Há alguns anos venho colaborando com o Edu e aprendendo muito com esse jovem tão determinado. Colegas meus também têm se engajado no projeto liderado por ele. Todos nós temos um único objetivo: encontrar soluções práticas e pragmáticas para tentar resolver os problemas do Brasil. A vida nos mostrou que essas soluções podem vir da periferia paulista, da zona sul carioca ou de qualquer parte do país. Para que elas prosperem, no entanto, é preciso deixar de lado radicalismos e trabalhar em harmonia. Essa é a única forma de alcançar o bem comum.

Espero que vocês gostem do livro que descreve a jornada do Edu e se inspirem de alguma forma para colaborar com o sucesso da sua missão. São iniciativas como a dele que podem criar o Brasil que merecemos.

JORGE PAULO LEMANN
Sócio da 3G Capital

NÃO IMPORTA DE ONDE VOCÊ VEM, MAS PARA ONDE VOCÊ VAI

Salve, amigo! Tudo que vou compartilhar neste livro eu tive de aprender vivendo na pele! Eu vou dividir minha vida. Não é uma autobiografia, mas uma conversa franca sobre os aprendizados que tive nos últimos anos para romper a barreira social, resgatar a minha autoestima e mudar a minha história. Uma vida bem vivida tem encontros e desencontros, acertos e falhas, mas muito aprendizado.

Eu nasci em um barraco, dentro de uma favela, em Guarulhos, São Paulo. Geralmente, o lugar onde se nasce tende a definir o que você será na vida e até onde pode chegar.

Então, o que esperar de alguém que nasceu em uma comunidade que não tinha escola, creche, saneamento básico ou o mínimo de infraestrutura para viver dignamente?

No Jardim Nova Cumbica, nas décadas de 1980 e 1990, havia muitos grupos de extermínio. Muita morte. Era comum, muito comum durante a noite ouvir tiros e, no dia seguinte, ver um corpo estirado no chão. Muita gente morria. Todo dia. O sangue escorria nas vielas.

A condição financeira da minha família era tão abaixo da linha da pobreza que meu barraco não tinha chão de cimento, era um chão batido de terra.

No barraco não tinha banheiro com descarga nem chuveiro. O banho tinha de ser de caneca. Nunca usei fralda descartável, sempre de pano. Meus pais, Maria Gorete e Marcio Luiz, não tinham dinheiro para comprar um berço e me colocaram para dormir em uma banheira azul.

Com seis meses de vida, eu já não queria mamar no peito. Minha mãe não tinha dinheiro pra me comprar leite de marca, com vitaminas necessárias e recomendadas para crianças abaixo de um ano. Então, pra me alimentar, ela misturava água no leite de vaca que na época era vendido em saquinhos plásticos. Era o que ela podia fazer.

Com pouco mais de dez meses de vida, fui internado por desidratação nível três, o mais grave. Passei o meu primeiro aniversário no hospital. Segundo os médicos, quase morri.

Quando eu nasci, meus pais decidiram viver juntos, mas não tínhamos lugar pra morar. Então, ganhamos um barraco na favela, doado pela minha tia Gina. Se não fosse a generosidade desta grande mulher, a situação teria sido ainda mais difícil.

Muitas vezes, com pouquíssimos recursos, minha mãe deixava de se alimentar pra eu poder comer o mínimo necessário pra viver. Minha heroína, nessa época, tinha apenas dois sutiãs. Enquanto ela lavava um, usava o outro.

Meu pai, na época da juventude, diante desse cenário complexo, embarcou no mundo do crime e foi preso. Embora ele tenha sido atleta meio-fundista do Corinthians, um evento mudou o rumo de sua vida.

Vou relatar. Meu pai tinha um fusca branco. Um dia ele emprestou para um amigo. Ele não sabia, mas este amigo estava jurado de morte na comunidade. Então, os matadores, ao verem esse amigo andando com o carro do meu pai, entenderam que os dois estavam de parceria. Juraram meu pai de morte.

Meu avô tentou, sem sucesso, conversar com o grupo criminoso e mudar o quadro. Houve um desequilíbrio emocional muito grande na família. Diante daquela situação e, sobretudo, naquela comunidade, discar 190 não resolveria nada. Foi aí que meu pai decidiu se armar e lutar pela sobrevivência.

Outros amigos se juntaram ao meu pai e ali eles formaram o que é chamado de quadrilha pra poder lutar pela sobrevivência. Os criminosos tentaram tirar a vida do meu pai e houve uma troca de tiros muito grande na comunidade.

Eu tinha dois anos de vida. Minha mãe conta que eu quase fui baleado. Segundo ela, faltou pouco, muito pouco, pra eu ser atingido por um tiro. Embora esse episódio tenha ocorrido há mais de 25 anos, a casa da minha avó ainda tem marcas das balas de armas de fogo nas paredes.

Meu pai sobreviveu. Ninguém do outro lado foi assassinado. No entanto, um amigo dele foi morto naquela triste e arrepiante noite na periferia de São Paulo.

Depois disso, meus pais ainda tentaram seguir em frente, pegaram tudo que tinham e fugiram para Americana, interior de São Paulo. Compraram uma casa de um cômodo em uma invasão. Não tinha nem mesmo banheiro. Era muito difícil.

Eles começaram a fabricar salgados, que eram revendidos em lanchonetes da cidade. Mas uma chuva muito intensa, infelizmente, levou o pouco que meus pais tinham. A casa ficou coberta de água. Acabou com tudo. Meus pais choraram muito. Imenso desespero. Sonhos naufragados. Infelizmente, meu pai voltou pra São Paulo e embarcou de vez no mundo do crime.

Ele nunca me contou detalhes da sua vida na criminalidade. Jamais quis se abrir. As informações que tenho sobre isso são dos recortes de jornais de páginas policiais em que ele apareceu na época, e alguns depoimentos da minha mãe e familiares.

Na minha infância, meu pai foi preso, indiciado por roubo a banco. Ele foi absolvido, mas ficou tempo suficiente pra que eu o visitasse várias vezes na prisão e visse minha mãe sendo revistada nua, na minha frente.

Esta parte era, particularmente, muito, muito ruim. Ter de ver minha mãe tendo a intimidade violada, por um erro que ela não cometeu, mexia muito com as minhas emoções. Quando comecei a visitá-lo, eu só tinha quatro anos. As visitas seguiram até os sete.

Lembro-me de que, na escola, no meu primeiro dia de aula, a professora, pra socializar os alunos, perguntou: "Qual a profissão do seu pai?"

Cada um contou sobre o que seu pai fazia. Eu não queria que a pergunta fosse feita a mim. Nenhuma criança quer ter o pai no crime. Ninguém quer visitar o pai na prisão.

Naquele dia, respondi à professora que ele era "caminhoneiro" e que viajava o tempo todo a trabalho. Foi a melhor resposta que encontrei para que os meus amigos de classe não se afastassem de mim por ser filho de um criminoso.

Sempre fui muito apaixonado pelo meu pai. Adorava quando ele estava em casa, mas isso quase nunca acontecia. O fato é que, quando meu pai não estava preso, estava internado dentro de um barraco qualquer, usando droga e torrando o dinheiro que conseguiu. Eu sentia muito a falta do meu pai.

Tive muitos momentos de solidão com a minha mãe, tempo suficiente para criarmos uma relação muito forte. Minha mãe foi o contraponto da minha história. Minha mãe foi a primeira e maior líder que eu conheci na vida.

Foi naqueles momentos de extrema necessidade, dificuldade social e desespero que nasceu a frase: "Não importa de onde você vem, mas pra onde você vai".

Minha mãe teve a coragem de me fazer sonhar. Minha negra liderou na crise, na fome, no caos, no medo, na enchente, na escassez. Ela olhava nos meus olhos e me dizia que o lugar onde eu tinha nascido não podia definir o meu futuro. Estava nas minhas mãos.

Minha mãe me criou trabalhando como diarista no centro de São Paulo. Estudou só até a sexta série, mas sempre foi mulher de coragem, de fibra e de forças extraordinárias. Esta frase "não importa de onde você vem, mas pra onde você vai" me empurrava pra frente e me fazia acreditar que o meu passado não podia determinar o meu futuro.

Minha mãe me dava horizontes. Ela me fazia imaginar um outro amanhã. Nós não estávamos presos ao barraco, à fome. Mesmo vivendo debaixo daquelas circunstâncias, nós tínhamos asas pra poder voar com nossa imaginação e sonhar.

Minha mãe não tinha bens materiais pra me oferecer. Mas ofereceu emoção. Ela me deu musculatura na alma. Minha mãe construiu em mim força emocional pra vencer a crise. Porque existiam duas crises: a de fora e a de dentro. A de fora era econômica e social. A de dentro era falta de confiança, de autoestima.

Mas ela criou reservas emocionais, dentro de mim, que me fizeram dizer não às drogas, ao crime, e não seguir o mesmo caminho que muitos dos meus amigos da comunidade seguiram.

Pelo contrário, enquanto diversos amigos da escola embarcavam no crime, eu ia pra universidade. Enquanto outros, infelizmente, se tornavam dependentes das drogas, eu me viciava nos livros e tentava expandir meu repertório.

Embora eu não tenha me formado jornalista, pois tive de abandonar as aulas faltando um semestre para concluir o curso, estudei bastante e cresci. Escrevi um livro chamado *Jovens Falcões*, publiquei de forma independente captando patrocínio de comerciantes da cidade de Poá, zona leste de São Paulo, onde moro há mais de 20 anos.

Montei uma equipe de vendas composta de cinquenta amigos e vendíamos o livro de porta em porta por R$ 9,99 na comunidade. Em pouco mais de três meses, vendemos cerca de cinco mil livros.

Com este dinheiro, iniciei o Gerando Falcões, uma organização social que hoje trabalha com educação por meio da cultura, esporte, qualificação profissional e geração de renda. Atendemos milhares de famílias da comunidade.

A profecia da minha mãe se concretizou. Fui selecionado pelo Fórum Econômico Mundial entre os jovens brasileiros que podem ajudar o mundo, fazendo parte do Global Shapers. Apareci na lista da revista *Forbes Brasil*, entre os jovens com menos de 30 anos mais influentes do país.

Fui considerado Empreendedor do ano pelo LIDE (Grupo de Líderes Empresariais). Também fui eleito paulistano Nota 10 pela revista *Veja* e uma das personalidades brasileiras escolhidas para carregar a Tocha Olímpica, em 2016. Tornei-me um dos "Rebeldes com Causa"

MINHA MÃE FOI A PRIMEIRA E MAIOR LÍDER QUE EU CONHECI NA VIDA. MINHA MÃE NÃO TINHA BENS MATERIAIS. ELA ME OFERECEU EMOÇÃO.

pela Grife Reserva e também um dos Jovens Brasileiros de 2015. Estou contando todas estas conquistas não para me vangloriar, mas para provar que pau que nasce torto não está sentenciado a morrer torto. Tem virada.

O voo de lá pra cá parecia impossível. Mas a força do espírito humano sempre reverte os cenários mais improváveis. A força que minha mãe criou na minha alma me fez escapar daquilo que parecia o precipício.

E pra concluir este enredo, ainda resgatamos meu pai. Ele está em casa e salvo. Minha mãe, a fé em Deus e nossa coragem de continuar fizeram com que meu pai dissesse "basta" àquela vida. Faz mais de 20 anos que meu pai abandonou o crime, tornou-se um homem de fé e jamais voltou atrás.

Você ainda acha que o lugar de onde você vem pode determinar o seu futuro? Você ainda acredita que eventos externos podem definir quem você será na vida?

Eu acredito que não! Naturalmente, tudo que acontece ao nosso redor, como políticas públicas, erros dos nossos pais, desigualdade social, péssima qualidade da educação, uma família desequilibrada emocionalmente, pode influenciar, mas não determinar.

Tenho consciência de que esses eventos tornam a vida mais dura e difícil, mas a força do espírito humano pode reverter as estatísticas negativas.

A última palavra é sempre nossa! Nossa decisão final tem de ser assumir o controle da vida e não permitir que os outros deem a última palavra, de até onde podemos chegar ou de quem seremos.

Nós temos que desenvolver uma resistência emocional e intelectual para rejeitar com força e veemência a ideia de que o meio vai determinar as linhas da nossa vida. Entre o presídio onde meu pai estava e eu seguir o mesmo caminho que ele, existia a minha escolha. Entre a vergonha de ser filho de um criminoso e a revolta social, existia o meu direito de escolher qual caminho eu iria trilhar.

Eu defini, com o apoio da minha mãe, qual era minha escolha. Isso me livrou da vala comum. Independentemente se você é estudante, médico, treinador, advogado, empreendedor, youtuber, cineasta, político, pastor, terá de fazer essa dura escolha: se os acontecimentos externos, dos quais você não tem o menor controle, vão definir a sua vida ou se você vai defini-la com a sua atitude!

Todo dia algo novo acontece! Alguém nos diz coisas com as quais nos desapontamos e saímos feridos. Somos surpreendidos por amigos que nos traem. Às vezes, a pessoa na qual depositamos nossa confiança, nos deixa.

Tornar-se uma pessoa amargurada, frustrada é o caminho mais óbvio e fácil. Mas ser criativo e desenhar novas soluções para este problema é uma demonstração de inteligência emocional e garra interior.

Respostas! Temos de dar respostas pra tudo aquilo que acontece em nossa vida. Estas respostas vão definir se você vai ser um "bundão", que só vai fazer "peso na Terra", ou se vai ser um "brigador", alguém que enfrenta e trabalha duro pra reverter.

Quando me perguntam qual foi a parte mais difícil pra romper com a realidade de pobreza na qual eu vivia, eu sempre respondo que foi conseguir acreditar que eu realmente podia fazer o que era preciso.

O meu maior desafio não estava fora, mas dentro de mim. Pra criar o meu caminho, eu tinha que acreditar nas palavras da minha mãe.

Existem muitas vozes que tentam nos influenciar negativamente. Vozes negativas, de quem não conseguiu, de quem, infelizmente, foi vencido, que tenta empurrar pra baixo. Temos que decidir no que acreditar, qual visão vamos perseguir de forma obstinada. Construir resistência intelectual pra recusar toda visão que vai contra nosso sonho de fazer um futuro grande.

O ser humano é capaz de realizar qualquer coisa, mas antes de começar, ele precisa dedicar um tempo pra se convencer disso. Colocar toda a sua energia, força e emoção para proteger os seus sonhos das armadilhas emocionais.

Na minha caminhada, na comunidade, ocorreram muitas coisas para tentar me demover da ideia de que eu podia. Tiraram sarro dos meus sonhos, disseram que eu era um coitado, um babaca, um iludido.

Disseram que eu não tinha que me meter com coisas grandes, que eu seria um frustrado, que era tudo fogo de palha e eu ficaria pelo caminho chorando as mágoas e decepcionado.

Mas eu não parei, porque havia passado pela academia da alma. Estava fortalecido para suportar socos e insultos. Eu não tirava os olhos um único segundo daquilo que eu queria pra minha vida.

A força dos seus sonhos precisa ser maior do que a vaia dos que torcem contra. Por isso não dá pra ficar em cima do muro. Ou você acredita, definitivamente, que é possível ou volta pra casa. O muro é para os indecisos. E a indecisão paralisa, mina nossa força de produtividade e capacidade de realização.

Qual a sua visão, no que você acredita, o que move você? Gostaria de convidá-lo a acreditar no que minha mãe me ensinou. Não importa de onde você vem, mas pra onde você vai.

Talvez você diga: "ok, Edu, mas eu não nasci em um barraco como você e meu pai jamais esteve atrás das grades". Tudo bem. Mas essa visão não é apenas para pessoas que nasceram miseráveis e sem oportunidades. Hoje, tenho a chance de me relacionar com pessoas de todas as classes sociais e vejo que todos, ricos e pobres, embora de forma diferente, têm problemas, más experiências e medos.

Talvez você não venha de um barraco, ou de uma favela, mas tenha passado por um luto, um divórcio, uma meta não batida, uma brutal falência, um assédio sexual; talvez você tenha sido despedido do emprego, ou o projeto ao qual você se dedicou intensamente por meses não tenha sido aprovado, ou a sociedade sempre compare você com alguém da sua família.

O que fazer? Nessas horas nós tendemos a achar que se hoje foi ruim, amanhã será pior ainda. Porém, projetar o amanhã baseado no hoje é um erro. Jamais se ampare em estatísticas para projetar seu futuro. Seja guiado por sua visão. A visão de que o lugar de onde você vem não vai determinar pra onde você vai.

Quem faliu ontem, pode ter sucesso amanhã. Quem chorou na semana passada, pode sorrir no próximo amanhecer. Aquele líder que não bateu as suas metas no semestre anterior pode ter aprendido com os erros e alcançar metas ainda mais ambiciosas.

Eu nunca tive vergonha do meu passado porque sempre tentei construir um futuro diferente. Não tenha vergonha se algo der errado, não abaixe a guarda, olhe nos olhos do mundo. Se você estiver com a cabeça erguida e perseguindo seus sonhos, ok. Bola pra frente.

Hoje compreendo que tudo que deu errado, lá atrás, não determinou o rumo da minha vida, mas me fortaleceu, tornou a casca mais dura e resistente.

Quando você sabe pra onde está indo, não fica em cima do muro e não permite que influências negativas roubem sua visão. Nem mesmo o bwarraco, a pobreza, a violência, o luto, o divórcio, a depressão, a falência, o assédio, a comparação, a crise, podem determinar seu futuro.

Quem consegue superar os maiores desafios desta vida, antes superou os seus maiores medos e fraquezas no mundo interior. Primeiro vencemos dentro e depois vencemos fora.

Obrigado, mãe e pai, por terem me ensinado isso, de um jeito muito difícil, que quase deu errado, mas funcionou. Amo vocês.

2

UM PROPÓSITO INCENDIADOR

Toda vida, seja de ricos ou de pobres, tem encontros e desencontros. Estes desencontros, geralmente, machucam a alma profundamente. Neste capítulo quero falar sobre como fazer as pazes com o passado, se libertar da opressão e se conectar com um futuro de realizações.

Eu não conseguia compreender onde a escassez, a dor e a ausência poderiam me levar. Na minha infância, como disse no capítulo anterior, faltava de tudo. Poderia criar uma imensa lista.

Mas algumas coisas eram mais gritantes, como por exemplo, não ter acesso ao esporte, à cultura e à educação de qualidade. Lembro-me de que tínhamos um campinho para jogar futebol na comunidade. Nosso campo não tinha grama, arquibancada, nem era tão grande como os campos esportivos oficiais. De repente, ele foi transformado em uma padaria por um empreendedor local. Aquilo foi uma dor profunda, sensação de perda e impotência porque havíamos perdido o nosso parque de diversão.

Eu passei grande parte da minha adolescência pedindo uma bicicleta pro meu pai. Eu esperei por anos a fio. Ele conseguiu me presentear somente quando eu completei 18 anos. Foi uma longa espera por falta de recursos pra algo tão básico, mas ao mesmo tempo, tão distante naquela época.

Videogame era outro objeto de desejo. Eu só consegui depois de casar e ter a minha própria família. Como saída, Anderson, um amigo, abria as portas da sua casa para receber mais de dez, às vezes quinze amigos, para jogarmos futebol em seu videogame. Nadar era outro grande desejo. Eu queria mergulhar em uma piscina e dar braçadas com os raios de sol batendo na minha cabeça. Naquela época da vida, televisão era objeto de luxo pra gente e não tínhamos condições de comprar uma. Pra assistir ao Corinthians jogar, eu sempre ia na casa dos amigos.

Essa escassez, naquele tempo, trazia um aperto no coração. Às vezes, até um princípio de revolta. No entanto, ter vivido essas circunstâncias criou em mim o propósito da minha vida.

Tudo o que faço hoje, como empreendedor social, é movido por essas experiências de necessidade e de falta. O foco do Gerando Falcões é trabalhar com educação por meio da cultura, esporte e qualificação profissional.

Por exemplo, meus amigos e eu não tivemos acesso a uma agenda esportiva na comunidade, por isso tantos foram para as drogas e a criminalidade. No entanto, hoje a nova geração, de onde eu vim, tem acesso a aulas de futsal, tênis e boxe.

Naquela época, também não nos foram oferecidas atividades culturais regulares. Porém, agora, a nova geração de crianças e adolescentes da minha comunidade tem acesso a aulas de teatro, pintura, dança, percussão e coral com atendimento psicossocial, lanche e transporte, tudo dentro do Gerando Falcões.

E mais do que isso, meus amigos e eu também não tínhamos acesso a cursos profissionalizantes. Essa exclusão social fez com que hoje eu pudesse oferecer um pacote de programas de profissionalização, como aulas de vendas, empreendedorismo, inglês, *sommelier*, logística e programação.

Este último, programação, é uma grande inovação. A nova linguagem global é a programação. Muitos jovens de periferias e favelas estão aprendendo a programar. Muitos deles foram inseridos no mercado de trabalho para atuar em empresas de ponta do país. Pela primeira vez na vida, eles tiveram acesso à renda.

Nossa ambição é que, em breve, o novo Bill Gates possa emergir da comunidade. Ou seja, aquelas notícias que vemos cotidianamente na mídia, envolvendo drogas e violência, serão, um dia, substituídas pela pauta da mudança, da tecnologia e do protagonismo.

A dor de visitar meu pai em um presídio, de ver a pessoa que eu amo em um local como aquele, deplorável, sem vida, de opressão, me fez, hoje, tocar o projeto Recomeçar, do Gerando Falcões, junto ao grande líder social Leonardo Precioso. Essa iniciativa recoloca ex-presidiários no mercado de trabalho e, só em 2017, criou 1 milhão de reais em empregos para os egressos atendidos por esse projeto.

No Brasil, sete em cada dez presos que deixam o sistema penitenciário retornam à vida do crime, de acordo com o Conselho Nacional de Justiça. A afirmação é do Ministro da Justiça Cezar Peluso, em entrevista concedida em setembro de 2011 à revista *IstoÉ*.

Das dezenas de entrevistas que são realizadas no Gerando Falcões com ex-presidiários, mensalmente, a maioria afirma que pensou na possibilidade de voltar ao crime por não encontrar oportunidade no mercado de trabalho.

Toda dor social, fruto da exclusão, da invisibilidade que vivi, foi canalizada através do amor da minha mãe e transformada em um grande e poderoso propósito, que por meio do Gerando Falcões tem transformado muitas e muitas vidas.

Se eu não tivesse vivido a experiência de nascer em uma favela, de morar em uma periferia, de nascer com os meus direitos sociais negados, de ter tido um pai no crime, possivelmente não teria a oportunidade de gerar um propósito tão poderoso e transformador na minha alma.

No entanto, quando eu vivia aquela dor, eu não enxergava uma razão, um porquê. Hoje, compreendo que as minhas experiências desastrosas de vida deram sentido pra minha existência e me fizeram enxergar qual a verdadeira razão de ter nascido e como posso colaborar pra mudar o mundo.

Qual o seu propósito? Para qual finalidade você levanta todos os dias da cama? O que faz você deixar o aconchego da sua casa e seguir para o trabalho?

A empresa Etalent realizou uma pesquisa intitulada "Felicidade no Trabalho e Otimismo Profissional", divulgada em outubro de 2015, na qual aponta que somente 39% dos profissionais brasileiros se dizem felizes no trabalho. Os menos satisfeitos estão na região Sudeste do país.

Ao não encontrar um propósito de vida, as pessoas correm o risco de trabalhar o dia inteiro para

UM PROPÓSITO DÁ PODERES A PESSOAS COMUNS. O PODER DE CURAR O SOFRIMENTO DO OUTRO, DE FAZÊ-LO SORRIR MESMO DIANTE DA INCERTEZA.

sobreviver e passar a noite procurando alívios momentâneos. E a vida é mais, muito mais que isso. As nossas experiências de vida precisam servir para algo relevante, e não apenas gerar dor e sofrimento em nossos corações.

No meu dia a dia, convivo com egressos do sistema penitenciário, que cometeram erros no passado com o tráfico de drogas, sequestro, assalto a banco etc.

Convivo também com mulheres que sofreram assédio sexual e tiveram sua autoestima destroçada em segundos. Me relaciono com homens e mulheres negros, que carregam as marcas do preconceito racial, que é realidade em nosso país.

Também me relaciono com herdeiros de milhões e outros, herdeiros de bilhões de reais, que gostariam que suas vidas fossem diferentes. Gostariam de ter tido um pai ou uma mãe mais presente, mais tempo com familiares ou apenas não queriam carregar um sobrenome que os obriguem a dar sempre o melhor, sempre sendo comparados às pessoas de sucesso da família.

Como disse acima, seja rico ou pobre, todo mundo tem encontros e desencontros. Mas percebo que, quando as pessoas, independentemente das dores que sofreram, encontram o seu propósito de vida, todo aquele sofrimento e rejeição passam a ser irrelevantes para provocar dor, pois se tornam um motor que empurra para a mudança e a realização.

Nós temos de olhar pra nossa vida sob um ângulo generoso. O propósito vem de como decidimos olhar para nós mesmos. Se olharmos do jeito errado, vamos encontrar todas as razões para sermos pessoas amargas, rancorosas.

Um executivo que diz ter sido sugado a vida toda para bater metas altíssimas da companhia e perdeu a oportunidade de estar com sua família. O professor que nunca foi respeitado em sala de aula por seus alunos e também menosprezado pelo Estado. A moça que sofreu *bullying* na sala de aula por ser gorda ou magra demais e não atender ao "padrão de beleza" imposto pela mídia e pela sociedade.

Há muitos enredos que podem levar as pessoas à dor extrema e tirar o sabor da vida. Tanto que às vezes não são compartilhados e poucas pessoas sabem, mas eles existem. Uma das coisas que mais me gerou dor na minha adolescência foi um apelido que me deram. À época (não gosto de dizer esta palavra, mas no contexto se faz necessário), aquilo me trazia ódio. Eu tinha ódio quando me chamavam deste apelido.

Eu pensei algumas vezes se deveria escrever sobre este tema, ou não, mas decidi ser justo com os meus leitores. Meu apelido era "Sem cura". Eu já chorei escondido dos meus pais muitas vezes por conta disso. Já tentei agredir, devolver com porrada, mas nunca fui bom de briga.

Até que percebi que a melhor forma de dar uma reposta seria brilhando e sendo o melhor que eu pudesse ser justamente naquela comunidade. Para todos que faziam aquela zoação vissem realmente qual era o meu valor e o tamanho da minha capacidade.

Hoje, naturalmente, os filhos de muitas pessoas que me zoavam são alunos do Gerando Falcões. Encontro muitos deles na rua, até porque moro na mesma cidade, em Poá, e eles me tratam com admiração e muito respeito. Como um líder.

As pessoas que mais contribuíram com o mundo possuem um propósito. Pense em Martin Luther King. Ele tinha mais do que capacidade de comunicação, carregava um propósito à prova de balas. O que fez aquele homem marchar debaixo de ofensas, ameaças à sua família, falsas notícias nos jornais? Não era a sua habilidade em discursar, mas o seu propósito.

Você pode ter todas as habilidades técnicas, ótima formação acadêmica, visão de mundo, dominar um segundo idioma, mas se não tiver um propósito resistente, incendiador, corre o risco de ser brecado facilmente.

O propósito nos oferece a possibilidade de fazermos as pazes com o passado e sermos livres para irmos atrás daquilo que acreditamos. Eu não tenho ódio dos meninos que me chamavam por aquele apelido. Muitos deles são meus amigos. Sabe por quê? Eu tenho consciência de que eles, mesmo inconscientemente, me deixaram mais forte. Cada vez que tiravam sarro de mim e colocavam a minha alma numa situação de extrema dor, eles estavam construindo musculatura emocional dentro mim.

Você é mais forte por conta de todo o caos que viveu e, talvez, ainda não tenha se dado conta. Quando perceber essa verdade, terá um arsenal de guerra à sua disposição, para ser utilizado em suas batalhas diárias, as que acontecem em seu universo interior.

Outra coisa que aprendi: quem tem um propósito não tem vergonha do passado. Aliás, utiliza essas experiências, por piores que sejam, para iluminar o futuro.

Seu propósito não pode vir da experiência dos outros. Não pode vir de um filme ou um livro. Seu propósito vem da sua coragem pessoal em mergulhar fundo na sua própria história, perdoar quem fez você sofrer, tirar lições disso e dar uma direção transformadora para sua própria vida.

O mundo precisa de líderes que tenham um genuíno propósito! É definitivamente inspirador conviver com pessoas que carregam um propósito. Elas, às vezes, num mundo tão maluco, parecem extraterrestres, mantenedores de utopias.

O comercial da Apple de 1997, que marca o retorno de Steve Jobs à companhia, retrata bem o que estou dizendo:

> *"Isto é para os loucos. Os desajustados. Os rebeldes. Os criadores de caso. Os que são peças redondas nos buracos quadrados. Os que veem as coisas de forma diferente. Eles não gostam de regras. E eles não têm nenhum respeito pelo status quo. Você pode citá-los, discordar deles, glorificá-los ou difamá-los. Mas a única coisa que você não pode fazer é ignorá-los. Porque eles mudam as coisas. Eles empurram a raça humana para frente. Enquanto alguns os veem como loucos, nós vemos gênios. Porque as pessoas que são loucas o suficiente para achar que podem mudar o mundo são as que, de fato, mudam".*

Independentemente da escala da sua loucura, dos seus sonhos e metas, é definitivamente impossível fazer parte do time dos desajustados, dos rebeldes, dos criadores de caso, sem ter dentro de si um propósito que te liberta da opressão, faz as pazes com o passado e te conecta com um futuro de realizações.

Quando se tem um propósito, é impossível chegar à velhice e ter a sensação frustrante de que desperdiçou a vida e investiu o tempo em tarefas fúteis e desnecessárias.

A população global costuma comprar a maioria das coisas que deseja. Compram um celular de última geração, uma bolsa de luxo, a educação dos filhos, colocando-os em escola particular.

Neste momento que escrevo meu livro, vejo ao lado minha maravilhosa esposa Mayara grávida. Eu sei que vou poder oferecer uma infância muito melhor do que a que eu tive para meu filho ou filha. Mas jamais vou poder comprar um propósito. Este é um desafio pessoal dele ou dela. Embora eu possa influenciar nessa busca, a descoberta é uma experiência pessoal.

Isso significa que propósito custa caro. Tão caro que não pode ser comprado com dinheiro nenhum neste mundo. Tão caro que muitos milionários não têm. E, ao mesmo tempo, um pai de família que conta as moedas para comprar o pão num sábado de manhã, talvez, tenha encontrado!

Propósito é a grande magia do mundo. É justamente aquilo que falta, mesmo depois de ter caído o salário no fim do mês. A falta de propósito é aquele imenso buraco que a pessoa sente mesmo estando em Paris ao lado da Torre Eiffel. A falta do propósito é aquela necessidade de preenchimento, mesmo quando se tem uma linda família dentro de casa.

Pense comigo. A água serve também e, sobretudo, pra matar a sede das pessoas. Imagine que você bebe um copo de água e, ao invés de sentir a deliciosa sensação de ter matado a sede, você sente ainda mais sede. É como se a água perdesse seu sentido e serviço. É isso.

As pessoas vieram ao mundo para brilhar, entregar amor, compaixão, generosidade, mas as experiências negativas, como traição, violência, opressão, vão roubando o sentido da nossa vida. Quando a pessoa se dá conta, perdeu a sua identidade e a razão pela qual veio ao mundo. Não ter um propósito faz pessoas liderarem para fins nefastos. Pais de família rejeitarem os filhos. Cidadãos omitirem seus compromissos com o país. E grandes talentos humanos esconderem suas habilidades e não utilizarem seu verdadeiro potencial.

Por isso, a missão mais urgente da raça humana é encontrar o seu propósito de vida, nesta breve fração de tempo que temos na Terra.

Sempre conto, em minhas palestras em corporações pelo Brasil inteiro, o exemplo de um homem simples da comunidade onde fui criado cujo apelido era "Formiguinha". Geralmente, gostamos de ler exemplos de grandes estadistas, artistas, medalhistas olímpicos e figuras mundialmente conhecidas. Mas não perca a sua atenção para este cara. Vale a pena.

Formiguinha tinha um propósito de vida. Todo dia ele acordava muito cedo, pegava uma vassoura e uma pá e limpava todas as calçadas da comunidade. Quando as famílias levantavam para começar o dia, Formiguinha já tinha feito o trabalho de limpar a calçada de todas as casas.

Enquanto ele estava vivo, a comunidade era muito mais limpa. Este era o seu propósito. Fazer da comunidade um local mais limpo.

Tem um ditado chinês que diz: se cada um limpar a sua calçada, teremos um país inteiro limpo.

No caso do Formiguinha, ele limpava a dele e a dos demais. Este homem nunca foi reconhecido nos jornais, nem ganhou prêmios e homenagens, mas sua família e a comunidade sabem o tamanho do seu valor.

A principal marca que este homem deixou não foi a sua casa, roupas ou qualquer outra coisa material, mas a força e a tenacidade do seu propósito. Quando não estivermos mais aqui, as pessoas vão lembrar se conseguimos conquistar aquilo que não se pode comprar.

Um propósito dá poderes às pessoas comuns. O poder de curar o sofrimento do outro, de fazer os outros sorrirem, mesmo diante da incerteza. O poder de resolver conflitos, de tornar ambientes duros em espaços agradáveis e de amor. O poder de mudar leis, quebrar estereótipos, desafiar a realidade, contrariar as estatísticas, diminuir a desigualdade. O poder de liderar em qualquer circunstância.

Qual o seu propósito incendiador?

MUDANÇA DE MENTALIDADE

Lançar o livro *Jovens Falcões* me levou, posteriormente, a fundar o Instituto Gerando Falcões. Eu queria ajudar a periferia e a favela a escrever histórias de relevância social e mudança por meio da educação. Eu tinha arrumado uma grana com a venda dos livros, mas precisava encontrar uma forma de trazer mais recursos para bancar a causa da luta contra a desigualdade na favela.

O modelo que eu conhecia de fazer recurso era com a venda dos livros de porta em porta. No entanto, eu mal sabia que um evento mudaria minha forma de enxergar o mundo.

Por conta do espaço de pobreza em que eu fui criado, fui sistematicamente treinado para enxergar um mundo de escassez, e não um mundo de fartura de recursos e possibilidades. Vender um livro por R$ 9,99 era o máximo de oportunidade que eu conseguia enxergar.

Até que, por conta do meu trabalho nas comunidades de baixa renda, caí no olhar de uma empreendedora social e filantropa chamada Patrícia Villela Marino, esposa do vice-presidente do Itaú para a América Latina, Ricardo Villela Marino.

Vale contextualizar. Ela havia recebido a missão do professor e presidente do Fórum Econômico Mundial, Klaus Schwab, de trazer para o Brasil o Global Shapers, uma iniciativa que seleciona jovens com potencial de mudar o mundo, montando *hubs* em todo o país.

Após uma rigorosa seleção, fui selecionado entre os jovens líderes brasileiros, que poderiam ajudar a moldar o Brasil do futuro. Eu ainda morava em uma casa que não tinha reboco por fora. Faltava muita coisa. Enfrentava dificuldades sociais gigantes, mas tal reconhecimento foi um indicador de que eu estava no caminho certo e que eu tinha muito a fazer dali em diante.

Lembro-me como se fosse hoje quando recebi uma ligação do exterior, de uma moça com sotaque de gringa, dizendo que eu fazia parte do "World Economic Forum". Disse ainda que eu seria nomeado em um evento, juntamente com outros líderes.

Seria a primeira vez na vida que eu iria ao Morumbi, bairro nobre de São Paulo. Chegando lá, na casa da hoje amiga, Patrícia Villela Marino, fui surpreendido pela quantidade de líderes brasileiros conhecidos nacionalmente, além de empresários.

Conheci jovens integrantes do Global Shapers, trocamos experiências e nos tornamos grandes amigos, o que me fez crescer como cidadão e líder. Havia engenheiros, jornalistas, artistas e grandes empreendedores sociais, como Germano Guimarães, fundador do Instituto Tellus, a primeira organização social de inovação e design em serviços públicos. Futuramente, iríamos desenvolver juntos projetos reconhecidos nacionalmente e de alto impacto na comunidade.

Era a primeira vez que eu quebrava literalmente o bloqueio social e me lançava a uma nova realidade social. No meio do evento, eu tive a oportunidade de falar por cinco minutos sobre a minha história e trabalho. Tempo suficiente para chamar a atenção da Patrícia Villela. Ao encerrar o evento, Patrícia me chamou de canto e disse que queria fazer um "seed money" (investimento semente).

Naquela época, meu inglês era zero, eu não entendi nada. Achei estranho e fiquei meio sem graça pensando o que aquela mulher queria comigo. Então ela me perguntou como eu estava de dinheiro. Eu disse que mal. Foi aí que ela decidiu investir no Gerando Falcões, pedindo meus dados bancários e CNPJ, que eu nem sabia o que era.

A partir daí, tudo mudou. Patrícia decidiu me ajudar com gestão e eficiência. Além de investir mais de 100 mil reais no Gerando Falcões, ela me conectou com uma rede de executivos que me ajudaram a estruturar o meu negócio social. Por exemplo, Rudi Fischer, que foi vice-presidente do Itaú e se tornou um dos meus melhores amigos. Ele passava horas e horas montando planilhas e nos ajudando a estruturar nossos projetos.

Era a primeira vez que alguém investia tanto dinheiro em mim, nos meus sonhos e no impacto que eu poderia criar em espaços de pobreza. Aquilo foi um banho de autoestima, convicção e, mais do que isso, mudou minha mentalidade.

Antigamente, minha visão estava treinada para enxergar um mundo escasso, de poucas possibilidades. A partir de então, eu enxerguei um mundo com fartura, lotado de oportunidades que eu poderia levar pra favela.

Passei a conhecer um mundo de filantropos. Pessoas que poderiam assinar cheques e doar parte de sua fortuna para ajudar comunidades e apoiar causas. Conheci executivos que poderiam patrocinar, por meio das companhias que lideravam, projetos sociais em favelas.

Foi o início de uma mudança radical na minha forma de ver o mundo. Aquilo expandiu meu universo, que deixou de se limitar à necessidade diária.

Patrícia fez mais que investir dinheiro nos meus projetos. Ela abriu as cortinas e me fez olhar para fora da janela. De lá pra cá, ano após ano, o Gerando Falcões tem dobrado sua arrecadação, projetos e atendimento ao público.

Duas palavras são fundamentais para compreender a revolução pessoal que vivenciei: visão e mentalidade. Eu mudei a minha visão. Passei a enxergar o futuro e minha mentalidade expandiu de tal forma que eu conseguia imaginar como iria concretizar esses sonhos.

Minha mãe teve grande importância na minha vida por não me deixar ir para o crime, drogas ou aceitar o "nada" como solução. Em um segundo momento, Patrícia cumpriu um papel surpreendente de me fazer ir para um segundo estágio, como líder e empreendedor.

Eu sei que você, que está lendo este livro, quer fazer algo grande para sua família, comunidade, escola, igreja, empresa ou talvez para o mundo. Pra realmente conseguir, é preciso olhar pra vida do jeito certo. Um jeito que produza resultados e, além disso, desenvolva resistência intelectual.

Resistência intelectual pode ser compreendida como aquilo que não permite que uma crítica ou vaia te paralise. Essa resistência te mantém em pé, mesmo em período de crise econômica ou quando a meta está ainda distante de ser atingida. Resistência intelectual faz com que suas ideias e seus sonhos sejam inabaláveis.

Se você olha para o mundo como vítima de tudo e de todos, infelizmente não vai conseguir aumentar os resultados e vai ficar estacado no mesmo lugar a vida toda. Óbvio que não estou diminuindo os problemas do mundo. Tem crise econômica, desigualdade, fome, guerra, preconceito, escassez, mas também tem riqueza, oportunidade, generosidade e fartura.

Assim como há pessoas boas, há outras ruins. O mundo é pobre e, ao mesmo tempo, assustadoramente rico. Talvez você ainda não tenha encontrado ou olhado para a direção certa, mas lá fora está cheio de oportunidades que podem ser agarradas por você.

Em você, existem os talentos necessários para criar negócios inovadores, inspirar equipes a bater as maiores metas. Desvendar novos caminhos, conquistar medalhas olímpicas, fazer lindos discursos, realizar as maiores vendas. Só que entre fazer e não fazer existe o fator visão e mentalidade. Se a escassez direcionar a sua visão, você jamais atingirá seu mais alto potencial.

Como você vê o mundo? Você espera o melhor ou o pior das pessoas? Com qual ânimo você sai de casa todos os dias para ir ao trabalho? Você está apaixonado pelo futuro? Ei, o futuro te seduz? Você tem um caso de amor com ele?

Uma das maiores experiências gastronômicas e emocionais que tive foi na África do Sul. Indicado pelo amigo e empreendedor social David Hertz, fundador da Gastromotiva, fui jantar no Mzansi Restaurant, dentro de uma favela chamada Langa, com forte histórico de luta contra o apartheid.

Difícil mesmo foi encontrar um taxista de Cape Town que topasse me levar à favela. A maioria tinha medo e me aconselhava a não ir. Até que encontrei um que topou. Estava com minha esposa Mayara e foi uma das melhores noites de nossas vidas.

Além da comida maravilhosa, a cofundadora do restaurante, Nomonde Siyaka, contou sua história de vida, falou sobre sua paixão pela comida e, ao final, um grupo musical, que representa a cultura local, se apresentou. Dançamos e cantamos juntos. A experiência que aquela empreendedora criou jamais será esquecida. Eu jamais vivi metade daquilo nos demais restaurantes que visitei.

Turistas do mundo inteiro vão ao Mzansi, recomendado pelo TripAdvisor, com cinco estrelas. Será que Siyaka estava enxergando escassez ou prosperidade quando criou o restaurante junto com sua mãe, dentro da favela?

Imagine quantas críticas ela deve ter ouvido. Quantas vezes não disseram pra elas desistirem. Quantos assassinos de sonhos disseram que iria falir no primeiro mês.

Mas ela floresceu onde foi plantada. Sua realidade era a favela, mas ela olhou para todas as oportunidades que podia gerar com seu talento e decidiu fazer. Mentalidade forte! Muito resistente. Uma visão avassaladora.

A convite de outro amigo, o Leandro Marcondes, tive a oportunidade de palestrar no mesmo palco que o Nick Vujicic, escritor *best-seller* e palestrante global. O Nick nasceu sem braços e pernas e é absurdamente incrível como ele toca a vida. Casado, faz de tudo com alegria, entusiasmo e fé. Ele é um homem de muita fé.

Quando você o ouve, é impossível não passar a enxergar a vida por outro ângulo. Ele olha pra si mesmo de forma generosa. Ele não se pune por ter nascido sem pernas e braços. Ele se ama e, como resultado, faz outras pessoas se amarem também. Além disso, ainda cria riqueza emocional em multidões pelo mundo. Cria ainda riqueza social com seus projetos de impacto, e riqueza financeira com seus livros e palestras.

Aquele cara não se permitiu ser influenciado pelas circunstâncias. Decidiu enxergar prosperidade, oportunidade e uma vida nada menos do que extraordinária para ser vivida.

Todo ano, eu recebo uma meta no Gerando Falcões. O que tem me ajudado é que eu aumento essa meta na minha cabeça. Se me dizem que eu preciso arrumar 10 mil, eu defino que vou atrás de 100 mil e luto por isso de forma obstinada. O resultado é sempre surpreendente.

Se você se permitir ter uma visão medíocre diante do mundo, não terá resultados milagrosos. O resultado está ligado à visão.

O sul-africano Elon Musk, que lidera empresas como SpaceX e Tesla, colocou na cabeça que vai levar humanos para Marte. Essa é a visão dele. É assim que ele enxerga o mundo e a forma como ele se vê nesta imensidão.

Eu coloquei como meta de vida trabalhar nos próximos anos para transformar as favelas do Brasil. Não faz sentido algum, enquanto Elon quer ir para Marte, ainda ter pessoas morrendo de fome, sem acesso à educação e renda, vivendo em favelas. Se o homem é capaz de ir pra Marte, ele também é capaz de mandar a atual favela para o museu e construir comunidades empreendedoras, que entreguem renda e dignidade.

O Brasil é grandioso. Temos o Cristo Redentor, a floresta Amazônica, cinco Copas do Mundo, Carlos Drummond de Andrade, Ayrton Senna, além de um povo feliz e trabalhador. Não faz sentido nos sentirmos pequenos, impotentes. Este país tem mais fartura do que escassez. Nós precisamos dar um jeito de pegar uma parte disso.

Seja você empreendedor dentro de uma periferia ou favela, seja você executivo de uma companhia ou fundador de uma *startup*, ou talvez vendedor em uma loja de calçados. Não importa. Se for capaz de construir a visão certa e desenvolver uma mentalidade resistente às crises, será capaz de erguer qualquer coisa.

Como venho de uma situação de extrema pobreza, acabei conhecendo muitas pessoas que se acostumaram com o pior. É como se elas tivessem adaptado suas vidas para aquela situação. Mas, acredite, a escassez não pode ser algo normal na vida de ninguém.

Já vi pessoas não se sentirem merecedoras de um salário melhor, de um diploma, de uma viagem em família, do sucesso.

Eu mesmo quando comecei a evoluir na vida e tive a chance de passar a lua de mel em Paris, me senti várias vezes mal por estar naquele local e a maioria dos meus amigos não ter conseguido.

Mas depois, percebi que o correto é estar em Paris na lua de mel com minha esposa. Eu tinha lutado, trabalhado feito maluco pela comunidade, nada havia caído do céu, ou seja, eu fiz por merecer e devia viver intensamente cada segundo.

Você merece. Sinta-se merecedor. O mundo não é só escassez. Você merece e tem direito de ter a vida com que sempre sonhou. Vá buscar. Vai lá. Abra as cortinas. Tem um mundão lá fora.

CRIANDO REDES PODEROSAS

Uma qualidade que sempre admirei no meu pai foi sua capacidade de fazer amizades. Ele tem o dom de fazer as pessoas gostarem dele rapidamente.

Lembro-me de que assim que meu pai saiu da prisão, ninguém queria empregá-lo. Na verdade, o fato de ele não ter uma profissão definida e o problema de ser egresso do sistema carcerário deixavam as coisas mais difíceis.

Ele havia tomado a decisão de abandonar o crime. Sem renda, passávamos muitas dificuldades. Saímos de Guarulhos, região metropolitana de São Paulo, e fomos morar em Poá. Meu pai teve um encontro com a fé, o que o ajudou muito a reconstruir a vida e traçar novos rumos.

Pela experiência que tenho, três coisas são fundamentais para salvar pessoas do submundo do crime e das drogas: fé, esporte e projetos sociais de inclusão.

Almoçar e jantar era nosso maior desafio em casa. Meu pai fazia de tudo. De descarregador de caminhão de bloco a vendedor de bala no trem, mesmo que de forma irregular, como camelô. A grana não dava pra fazer todas as refeições. Para ele, chefe de família, dizer que não tinha comida em casa era vergonha social.

Só que meu pai, sempre muito criativo, encontrou uma saída com seu bom relacionamento. Quase todas as noites, ele me mandava tomar banho, trocar de roupa e íamos visitar, junto com a minha mãe, um amigo diferente na comunidade. Eu devia ter entre onze e doze anos.

O vizinho nos recebia, e meu pai com seu sorriso e humor ia puxando assunto, conversando sobre futebol, economia da comunidade, piadas etc. Ia chegando a hora do jantar e ainda estávamos lá. Automaticamente, éramos convidados para jantar. Meu pai topava de primeira. Minha mãe, meio tímida, mas sem muita opção, embarcava também.

Eu, francamente, com minha pouca idade e ingenuidade da pré-adolescência, imaginava que toda noite meu pai era convidado pra jantar em uma casa diferente. A gente quase que se oferecia, de forma muita charmosa, para jantar e, assim, fomos resolvendo com a inteligência do meu pai nosso problema relacionado à fome. Meu pai foi meu professor.

Essa experiência de vê-lo se relacionar com as pessoas me ajudou a desenvolver um interesse genuíno em construir amizades. Quase vinte anos depois, tenho a alegria de dizer que possivelmente meu maior ativo seja a extensa rede que construí em diferentes segmentos da sociedade: amizade de líderes de corporações e marcas globais, atores e atrizes, apresentadores de televisão, esportistas, narrador de final de Copa do Mundo, medalhistas olímpicos, políticos, ex-traficantes, ex-sequestradores, donas de casa, diaristas, líderes comunitários e professores de Harvard.

Meu objetivo não é me gabar ou ostentar *networking*. Só estou compartilhando esta particularidade porque sei que um dos maiores desafios de todo profissional, sobretudo líderes e empreendedores, é desenvolver redes de relacionamento. Se essa habilidade não fosse tão fundamental, guardaria este detalhe da minha trajetória, só pra mim, a sete chaves.

Talvez alguém possa dizer: "poxa, Edu, mas é fácil para alguém como você, que saiu na lista da revista *Forbes Brasil* entre os jovens mais influentes abaixo dos 30 anos, ser recebido pelas pessoas e conseguir construir relacionamentos". Naturalmente hoje, em alguns momentos, minha biografia pode facilitar acessos. Mas, olha, fracamente, nem sempre foi assim.

Minha jornada em construir relacionamentos teve início de fato quando eu estava na universidade estudando Jornalismo. Era época de fazer o TCC. Embora eu não tenha o diploma, eu fiz meu TCC. Eu coloquei na cabeça que faria um livro chamado *Dialogando com Lideranças*.

Neste livro, eu iria discutir o Brasil em âmbito cultural, político e religioso, com grandes lideranças brasileiras. Eu prometi para o professor Roberto Medeiros que iria falar com ex-presidentes da república, senadores, artistas etc. Parecia loucura para um estudante vindo da periferia. Pra conseguir entregar o livro como prometi, tive que ir a Brasília tentar as entrevistas. Eu não tinha quem me apresentasse para as lideranças e abrisse as portas. Não tinha méritos no currículo para abrir caminhos. Fui na cara de pau.

Conversei com uma amiga de classe, a Marli, que tinha uma tia que morava em Brasília e pedi para ela me acolher na casa dela durante uma semana. Ela topou. Opa, já tinha onde dormir. Meio caminho andado.

Conversei com uma liderança da cidade de Poá, o Júnior, pra que me pagasse a passagem aérea e quando eu voltasse iria trabalhar pra ele durante três meses pra pagar o investimento. Ele aceitou. Partiu Brasília. Chegando lá, de um jeito todo meu, conversei com diversas lideranças, algumas infelizmente se envolveram em escândalos de corrupção, mas bati a meta.

Pra conseguir, eu fiz calvário na porta dos senadores, artistas etc. Passava horas tentando. Pedindo uma oportunidade. Aprendi a insistir, a convencer assessores. Ao final do livro, sem conhecer ninguém, eu consegui entrevistas com o rapper MV Bill, Oscar Niemeyer, Marina Silva, Andres Sanchés, o ex-presidente Fernando Collor de Mello etc. O livro teve grande repercussão, inclusive dentro da universidade, e eu aprendi muito com aquele desafio acadêmico de como fazer as pessoas falarem comigo.

Me expor daquele jeito me ensinou muito sobre administrar o frio na barriga e correr o risco de ser rejeitado. Aliás, quantas coisas deixamos de fazer pelo medo de sermos rejeitados? Se conectar com outras pessoas significa correr o risco de rejeição. No início, ser ignorado gera uma dor emocional. É como se levássemos um soco no estômago. Mas conforme vamos caminhando e tendo experiências de rejeição, isso vai sendo digerido por nós de forma inteligente.

Os grandes vendedores são os que mais foram rejeitados. Eles acabaram criando uma casca interna, uma camada mais dura, no qual a rejeição bate e volta. Não consegue mais afligir, jogar pra baixo ou desanimar. Os melhores vendedores que você conhece, tenha certeza, já foram muito rejeitados. Mas desenvolveram uma maneira muito pessoal de encarar isso.

É como se olhassem para a rejeição em seus olhos e mesmo diante de toda delicadeza e fragilidade humana tivessem a coragem de dizer: "Eu sou maior do que você. Eu estou no comando".

Na adolescência, eu trabalhei na feira por um curto período vendendo alface e ajudando meu pai. Depois ajudei um amigo chamado Diogo, que vive em Poá, a vender camisetas de times de futebol, também na feira. No início, você grita, aborda as pessoas que passam, olham a alface ou a camiseta e vão embora. Você abaixa a cabeça, desanima e se sente mal. Mas o tempo vai passando e você se adapta àquela realidade. Acaba, inclusive, criando uma conta lógica, de quantas pessoas você vai conseguir converter com sua abordagem de vendas e quantas vão ouvir, olhar e seguir seu caminho sem a compra.

Percebi também que quanto mais eu melhorava minha abordagem e chamava a atenção, maior o número de compradores. Então, diminuir o índice de rejeição estava em minhas mãos. Quanto melhor eu fosse em formular minhas ideias, em posicionar a voz, o olhar, o sorriso, mais poderia vender.

Quanto mais você treina, assim como um ator ou atleta olímpico, melhor fica, e isso vai diminuir o número de rejeições que recebe na vida. Vender, dar aula para uma turma de adolescentes em escola pública, pedir por e-mail uma reunião. A sua evolução faz o índice de rejeição cair assustadoramente.

O que mais contribuiu para que eu me conectasse com pessoas foi uma decisão que tomei. Eu defini um conceito pessoal do que é liderança. Aqui vai: liderança é derrubar muros e construir pontes. A sociedade é repleta de muros. Cada grupo do seu lado e sem se misturar. Brancos e negros. Ricos e pobres. Direita e esquerda. Evangélicos e gays. Esse distanciamento inibe o país de ser maior, as pessoas de se desenvolverem mais, os negócios de serem mais sustentáveis e representativos do que é a sociedade.

Cerca de 4 anos atrás, decidi que um dos meus principais papéis na sociedade seria derrubar esses muros e ser um construtor de pontes. Eu queria vender pontes entre humanos, entre favela e centro, entre brancos e negros, entre ricos e pobres, entre direita e esquerda.

É impossível construir uma vasta rede de relacionamento, se você não gostar do diferente. Geralmente, as pessoas têm pouca paciência e abertura para dialogar e conviver com o diferente. Queremos que o mundo seja moldado à nossa vontade.

Se não dermos espaço para o diferente, vamos frequentar sempre os mesmos lugares, com as mesmas pessoas e ligar para os mesmos números de telefone. Saborear as mesmas comidas, ouvir as mesmas músicas e sempre, sempre as mesmas histórias sobre temas que dominamos para não correr o risco de não ouvir opiniões diferentes.

Queremos estar sempre no absoluto controle. E controle é inimigo do relacionamento. Relacionamento é descoberta, é um mergulho no outro. E o outro é o novo. É um oceano a ser desvendado e, ao mesmo tempo, contemplado.

A construção de relacionamento está baseada na celebração da diversidade. Diversidade da história de vida, do sobrenome, da religião, da defesa política, dos valores, dos princípios, da orientação sexual, do time de preferência, da carreira, da cor do outro.

Se você for um executivo e todos os seus amigos também forem executivos, que terrível, que chato. Se você for de esquerda e só suportar conviver com pessoas de esquerda, é uma pobreza intelectual avassaladora! A vida é rica, se for cheia de diferença. Se for tudo igual, é pobre.

Tempos atrás um conselheiro do Gerando Falcões chamado Felipe Almeida, que é diretor de Marketing da Zup e sócio da Aktuellmix, me fez uma das maiores provocações da minha vida. Ele disse, de uma forma leve, porém desafiadora, que eu deveria fazer um jantar, em uma casa de eventos para 500 pessoas, e cobrar 5 mil reais a mesa com 10 lugares, para as pessoas jantarem comigo. E todo o recurso deveria ser direcionado aos projetos sociais da ONG.

De primeira, eu achei que ele estava maluco. Eu pensei "cobrar 5 mil reais pra alguém jantar comigo? Ele deve estar pensando que eu sou quem, o Obama? Será que ele está maluco?".

Fui pra casa com aquela ideia na cabeça. Fiquei muito pensativo, afinal, se desse certo, poderia render milhares de reais para a causa que eu defendo, porém, isso testaria de fato a minha influência e capacidade de mobilização social.

Conversei com Mayara, minha esposa. Ela apoiou. Disse que eu deveria tentar e, se não desse certo, eu não jantaria sozinho. Ela prometeu que estaria lá comigo para jantar ao meu lado. Eu sorri.

Eu teria que mobilizar muitas empresas, como hotelaria, cenografia, som, luz e dezenas de pessoas para comprar mesas e cadeiras, desembolsando milhares de reais. Mas eu não tinha um único real de investimento inicial.

Depois de refletir muito, decidi embarcar e fazer. A conclusão a que cheguei é que eu deveria acreditar 100% no poder da causa que eu defendia. Minha crença de sucesso estava fundada no propósito transformador que a vida esculpiu na minha alma.

Ressalto um ponto importante. Pra mobilizar forças sociais, líderes, recursos, empresas, é preciso estar convicto do seu propósito e da visão que carrega. Afinal, ele vai apontar um caminho pra sociedade. Este caminho não pode estar nebuloso. Deve criar energia dentro das outras pessoas a ponto de fazê-las agir. Deve ser algo vivo, que faça as pessoas sentirem um desejo genuíno de participar e se mover.

Entreguei três meses da minha vida no primeiro jantar, que foi realizado no palco do Sheraton. Diversas empresas apoiando gratuitamente. O resultado: quase 500 pessoas presentes, 50 compradores de mesas, pagando 5 mil reais e quase 500 mil reais arrecadados em uma noite.

Já realizamos três edições do jantar. No último, por exemplo, arrecadamos quase 1 milhão de reais, com mais de 600 pessoas presentes, famílias, líderes nacionais, atletas e artistas.

Em suas edições, o jantar já foi apresentado por Ana Paula Padrão, Marcelo Tas e Maria Ribeiro. Já leiloamos experiências como um almoço com Jorge Paulo Lemann, assistir a uma partida de futebol com Galvão Bueno e um almoço com o ex-ministro do Banco Central, Armínio Fraga, entre outras.

Todas as vezes que estou no jantar, fico emocionado. Olho pro lado e vejo centenas de pessoas lá, que abraçaram o meu convite de participar, doar, engajar e lutar contra a desigualdade social. Isso me toca.

Lembro que meu pai foi meu professor, quando não tínhamos o que comer e ele usava seu relacionamento para nos salvar da fome. Hoje, eu uso meu relacionamento para apoiar milhares de famílias a terem uma vida mais digna.

A seguir, compartilho dez hábitos para construir relacionamentos sólidos e redes poderosas que fazem parte da minha vida:

1) Ouça as pessoas de verdade e com verdade

Falar é uma necessidade escandalosa. Por outro lado, ouvir é uma habilidade para poucos, mas que pode ser desenvolvida. Às vezes, queremos falar tanto sobre nós mesmos, nossas conquistas, nossas habilidades e, sem perceber, somos chatos, interrompendo os outros. Eu tenho um precioso amigo chamado Fernando Freiberger. Ele sempre me convida, com sua esposa Isa, para jantares em casal em seu apartamento. Enquanto eu falo, ele foca tanto, que tenho a sensação de que nada mais no mundo é tão importante que a minha presença ali. E não é um foco falso, porque ele consegue recordar de cada conversa que tivemos. Me lembro de ter voltado da África do Sul falando das minhas experiências e como foi ter visitado a prisão onde Mandela ficou. Um tempo depois, o Nando, como o chamo carinhosamente, me disse que iria à África do Sul com sua esposa. Quando eles voltaram, fizemos um novo jantar, onde ele passou horas relatando sua experiência na terra do Madiba. Ali, era a minha vez de escutar atentamente. Ou seja, é uma troca saudável, em que ambos falam prazerosamente para aprender e saborear as experiências. Adoro fazer perguntas. Se tivermos a oportunidade de jantar um dia, vai ver o quanto gosto de perguntar. Seja interessado. Não apenas interessante.

2) Esteja com as pessoas

Em um mundo tão tecnológico, queremos resolver tudo rapidamente e por WhatsApp ou e-mail. Mas relacionamentos profundos não podem ser construídos artificialmente. Por isso, para ter uma rede de relacionamentos, é preciso dedicar tempo e ser apaixonado pelas pessoas. Caso contrário, será impossível. Se você realmente quiser fazer isso, vai ter de criar momentos, inventar jantares, almoços, chamar as pessoas para tomar um café.

Minha esposa diz que nunca paro e sempre estou inventando coisas pra fazer com os amigos. Tenho uma agenda repleta de compromissos que crio para o ano todo. Sempre chamo amigos pra passar o fim de semana juntos. Nessas ocasiões, junto pessoas diferentes no mesmo fim de semana e a experiência fica ainda melhor. Geralmente, vamos para a casa de campo de um amigo chamado Roberto Vilela. Ele ama cozinhar, dar risada e contar histórias. Ali, aprofundamos a relação, as mulheres se aproximam, as crianças também. Trocamos experiências, vitórias, fracassos, dúvidas e sonhos.

3) Conheça as pessoas com profundidade

Eu faço questão de conhecer as pessoas a fundo. Por exemplo, o Gerando Falcões tem vários patrocinadores, empresas como Ambev, Motorola, Microsoft, Oracle, Vult, Is Logística, Banco ABN Amro, Polo Wear, Fundação Lemann, Geração de Valor, Visa etc. Eu conheço os líderes destas empresas pelo nome. Praticamente todos, conheço a esposa, os filhos, sei onde moram e quais as paixões de suas vidas. Se amam surfar, jogar tênis, beber vinho ou assistir a um jogo de futebol.

4) Foque na pessoa, e não no negócio

Eu tenho também amigos que patrocinaram o Gerando Falcões, mas que hoje não estão conosco por razões internas na empresa. Apesar disso, mantemos ótima amizade. Nos vemos, sempre que eu posso, ligo, envio e-mail, convido para eventos do Gerando Falcões e tenho uma relação de amizade e carinho profundos. Naturalmente, todos têm interesses, metas para alcançar, mas o relacionamento não pode ser regado a interesses, porque eles passam. A verdadeira amizade, focada na pessoa, continua. Quem está do outro lado consegue perceber quando esse relacionamento é genuíno ou focado em negócios unicamente. Por outro lado, também tenho amigos que já me disseram "não" para investimentos e parcerias. Nada mudou. Porque amizade precisa ser construída sob valores inegociáveis. Isso faz com que a sua rede seja inabalável.

É IMPOSSÍVEL CONSTRUIR UMA VASTA REDE DE RELACIONAMENTO, SE VOCÊ NÃO GOSTAR DO DIFERENTE.

5) Agregue valor às pessoas

Não se relacione apenas para receber. Pense o que você poderia agregar. O que você sabe que o outro não sabe? Com o que você poderia contribuir na vida dele? Se você sabe que um amigo está com dificuldades, seja financeira, no casamento, ou abatido por não dormir bem, e você pode ajudar e não faz, eu acho que existe um problema sério com você. Ou seja, você ainda não conseguiu embarcar na visão do que realmente é um relacionamento.

Um dia, estava com um amigo muito especial chamado Thiago Oliveira. Ele é sem dúvida um dos maiores empreendedores jovens do nosso país, vindo da periferia de São Paulo, criou uma grande empresa e vendeu por alguns milhões. Perguntei pra ele: "se você pudesse escolher com quem jantar amanhã, entre os nomes que vou citar, quem você escolheria? Nelson Mandela, Barack Obama, Steve Jobs ou Bill Gates?". Ele disse: "Nenhum desses. Meu sonho é um dia estar com Jorge Paulo Lemann". Voltamos pra casa. No mesmo dia escrevi para Jorge Paulo e perguntei carinhosamente se ele poderia dedicar 30 minutos do seu tempo para receber o Thiago. Curiosamente Jorge Paulo topou.

Quando eu liguei pra contar, Thiago Oliveira foi pego de surpresa. Afinal, ele estaria com seu ídolo. Mas ele não tinha me pedido. Eu quis tentar. Amizades verdadeiras agregam valor à relação, e não apenas sugam. Eu sempre conecto pessoas com pessoas.

6) Seja gentil e reconheça os esforços

Pensamos mais em nós do que nos outros o tempo todo. Esquecemos dos pequenos detalhes, como dizer "bom dia", "obrigado". Às vezes, dedicar um tempo para ligar para um amigo, mesmo que não tenha nada especificamente a tratar, mas para dizer um "eu admiro muito você", "agradeço seus esforços em nossa amizade" ou "quero estar com você nos próximos anos da minha vida". Reconheça, reconheça e reconheça.

7) Presenteie

Sempre que conheço uma pessoa com quem me identifico, envio um postal do Gerando Falcões falando como foi especial conhecê-la, escrito à mão. Envio também para amigos, agradecendo um gesto que tenha feito à nossa causa e comunidade. Adoro presentear amigos com um quadro desenhado por Marcos Lopes, artista da comunidade. Este quadro simboliza o que minha mãe me dizia na favela: "Não importa de onde você vem, mas pra onde você vai". Sempre que envio esse presente, as pessoas me ligam emocionadas porque conseguem captar o valor e a história daquela obra de arte. Gerar valor pra tudo que se faz é uma arte e fazer isso para as relações humanas deixa as coisas melhores ainda.

8) Perdoe

Não existe um relacionamento que, em algum momento, para continuar de pé, não vá precisar do perdão. As pessoas falham. Simples assim. Ter um coração perdoador é uma dádiva. Quem perdoa recebe perdão. Experimente oferecer perdão a alguém. Tem algum presente mais significativo nesta vida? Teria algo que toca mais fundo na alma do outro? Criadores de relacionamento, para estabelecer manutenção, precisam ter a coragem de perdoar.

9) Ajude

Fique atento aos momentos difíceis que os outros enfrentam. Nessas horas duras da vida, ofereça apoio, escuta, ombro amigo. Pra quem recebe é marcante e aprofunda a relação a níveis jamais atingidos.

10) Regue a planta

Meu pai sempre me dizia que, mais que fazer novos relacionamentos, eu deveria cultivar os que eu tinha construído. Cultivar diz respeito a regar, ser cuidadoso, tirar a poeira, expulsar as pragas. Manter a rede viva dá um trabalho danado. É o trabalho de um jardineiro, que todo dia poda, alimenta, rega. Mas o jardineiro se realiza com a beleza das flores que plantou e alimentou. O colorido delas. O cheiro que exalam. Essa é a beleza de uma rede de amigos. Comece.

5

COMUNICAÇÃO COMO FERRAMENTA DE CONQUISTA

Em julho de 2015, eu fiz minha primeira palestra internacional, em Orlando, nos Estados Unidos, durante um encontro mundial da Microsoft. O convite havia sido feito pela Microsoft Brasil. Meu desafio era falar para a rede de parceiros que a companhia tem no país. Estava ansioso, mas ao mesmo tempo entusiasmado com a oportunidade.

Subi ao palco logo após a apresentação da Paula Bellizia, CEO da empresa no Brasil, da qual sou amigo e admiro muito pela liderança com foco em empreendedorismo, educação e tecnologia.

Eu passaria cerca de quarenta minutos contando minha história de vida. O Brasil começava a entrar em uma crise econômica. Então, eu linquei minha história, de quem nasceu na crise social, econômica e moral, tendo um pai dentro da prisão, mas conseguiu se superar com luta, persistência e resiliência.

Eu tentava provar por A mais B que a saída para a crise econômica estava na capacidade que o brasileiro tem de superar momentos difíceis, desde sempre. A plateia, composta de empreendedores de tecnologia do país inteiro, emocionada com a minha história, aplaudiu de pé.

Enquanto fazia aquela palestra, por vários momentos, me passava um filme na cabeça sobre o lugar pobre, violento e improvável de onde eu havia saído.

Quanto mais lembrava que havia conseguido subir em um dos palcos mais concorridos do planeta, me sentia ainda mais confiante para fazer aquele discurso. Andava de um lado para o outro, enquanto minha imagem era projetada em dois telões. Eu vibrava, sorria e inspirava as pessoas presentes. Na minha cabeça, estava muito concreto que eu tinha saído da favela para o mundo.

Quando acabei a palestra, centenas de líderes vieram me abraçar e me parabenizar. Muitos agradeciam pelo estímulo e diziam que estavam bem mais confiantes para seguir em frente. Outros parabenizavam por minha apresentação.

No entanto, uma pessoa veio falar comigo e fez uma pergunta interessante, que me marcou. Ele olhou nos meus olhos e interrogou: "Edu, você veio de uma situação de muita pobreza e falta de confiança. Estou surpreso e muito curioso para saber onde aprendeu a se comunicar, como desenvolveu sua capacidade de comunicação. Eu tenho feito cursos ao redor do mundo, investido muito recurso, mas não consigo ter a mesma performance que você. Pode me explicar?"

Eu fui pego de surpresa e não soube dar uma resposta convincente. Infelizmente, eu não troquei contato com ele, mas tomara que ele tenha acesso a este livro e, principalmente, leia este capítulo em que pretendo respondê-lo.

Quando o assunto é comunicação, é preciso compreender que ninguém nasce pronto para a festa. Assim como escrever um artigo, pintar um quadro, compor uma música, quanto mais você faz, melhor fica.

Acredito que seja consenso que Barack Obama é um dos grandes oradores deste século. Experimente pegar um vídeo antigo dele, da época em que não era presidente, o mais antigo possível. Você vai estranhar. Parece até outra pessoa fazendo o discurso.

Para falar inglês, gerenciar um projeto, existe uma curva de crescimento que não acontece do dia para a noite. Leva um tempo de amadurecimento, mas independentemente de qual seja a sua área, eu acredito que é possível ter uma ótima comunicação.

Vou falar um pouco da minha escola, de como me desenvolvi. O início do Gerando Falcões foi com minhas palestras dentro de escolas públicas em periferias e favelas, onde eu tinha o papel de estimular jovens a não seguirem os caminhos das drogas e do crime.

Lembro-me de que em uma das minhas primeiras apresentações estava acompanhado do rapper Lemaestro, um grande líder social que hoje toca a área de expansão do Gerando Falcões. Eu palestrava e ele cantava. Em uma escola em Itaquaquecetuba, extremo Leste de São Paulo, os alunos tacaram casca de banana e nos vaiaram.

Foi vergonhoso. A gente sentiu, definitivamente, vontade de parar as atividades, voltar pra casa e nunca mais voltar a nenhuma escola.

Em outra escola, desta vez na Cidade Tiradentes, enquanto tentávamos fazer o evento, os jovens, alguns com armas, outros com drogas, ficavam de costas viradas pra nós e não davam a mínima para nossa presença e esforço de se comunicar.

Às vezes, ouvíamos no meio da plateia alguém dizer: “Sai daí, seu merda”. Ou também “Vai pra casa. Vocês estão enchendo o saco aqui. Estão tirando a gente com essas ideias”.

Também tinham palavrões: “Vai tomar no c. Lá vêm esses ‘filho da p’ com essas ideia de bosta. Me fode ter que ouvir esses merdas”. Era de fato humilhante, ultrajante.

E detalhe: todo esse constrangimento ocorria diante de quinhentos, seiscentos, às vezes até setecentos jovens no pátio de uma escola que me ouviam falar. Eles davam risada e aquilo virava algo quase incontrolável.

Esse cenário era bem diferente do palco em Orlando, nos EUA, com centenas de empreendedores me aplaudindo de pé, e também das dezenas de empresas pelas quais já passei no Brasil em convenções de vendas, fóruns executivos ou mesmo das palestras para famílias como Saad e Diniz, onde fui recebido com muito carinho, atenção e respeito.

No entanto, esta foi a minha escola de comunicação. Falar pra quem não queria me ouvir. Receber *feedback* negativo todos os dias, voltar pra casa e pensar como eu poderia conquistar aqueles jovens e adolescentes. Como fazê-los me ouvir e gostarem de mim?

Não bastasse isso, também comecei a dar palestras dentro de presídios, como no Adriano Marrey, em Guarulhos, e nas Fundações Casa de São Paulo.

Às vezes, eu era colocado dentro de uma sala com assassinos, traficantes, sequestradores, membros de facções criminosas e precisava falar algo que fosse interessante e os fizesse me ouvir. O papo precisava ser reto. As ideias precisavam bater. Não poderia ter curva na comunicação. Tá ligado?

Bem diferente de hoje, de como sou recebido e inclusive remunerado para uma palestra. Já tive dias péssimos como comunicador e em muitos momentos pensei em desistir. Mas foram exatamente esses dias que me fizeram crescer.

Embora não pareça fisicamente, porque sou magro e tenho poucos músculos, eu treino boxe. Meu treinador, o Betão, sempre diz que quando os músculos estão doendo é um sinal de que estão crescendo, ou seja, ficando mais fortes.

Esta frase tem ótimo encaixe quando o assunto é comunicação. Todas aquelas apresentações que foram um fracasso, os dias que você travou, as gagueiras, o suor escorrendo pelo rosto e todo mundo reparando... tudo isso está te construindo e vai fazer de você um comunicador melhor.

Se você está lendo este capítulo com muito interesse à espera de um conselho para ser um comunicador melhor, aqui vai: comunique-se. Exponha-se ao risco de errar, de ser vaiado, de ouvir críticas e ser rejeitado. Quanto mais você se expõe, melhor fica. Quanto mais você se comunica em público, olha nos olhos das pessoas, mais musculatura vai adquirindo.

Foi me expor em escolas desde cedo, ouvir xingamentos, ser vaiado junto com Lemaestro, foi entrar em presídios e falar em ambientes tensos e hostis que me preparou para hoje palestrar em convenções ao redor do mundo, dar entrevistas em programas de televisão, fazer reuniões com executivos que lideram companhias globais e buscar investimento para comunidades de baixa renda.

Se você quer se comunicar bem, precisa buscar oportunidades para fazê-lo. É como andar de bicicleta, você vai ficando cada vez melhor. Quando se dá conta, está pedalando sozinho.

Eu tenho vídeos no Youtube que já pensei em pedir pra quem postou retirá-los do ar de tão horrível que estava minha comunicação, mas decidi não retirar porque aquilo mostra que ninguém nasce sabendo e que a gente não pode pular etapas de amadurecimento na vida. Daqui dez anos, vou olhar para meus vídeos de hoje e, certamente, terei a mesma sensação de como eu poderia ser melhor e fazer diferente e com mais desenvoltura.

Outra coisa importante pra quem se comunica é a observação. Hoje no Youtube há uma quantidade infinita de conteúdo à disposição.

Vídeos de grandes oradores, líderes de companhias, artistas, debatedores presidenciais, palestrantes, jornalistas, rappers, youtubers etc. Assistir com um olhar crítico, focado em aprender com os gestos, tonalidade da voz, expressão verbal, ajuda muito.

Recentemente, a empreendedora americana e apresentadora de televisão Oprah Winfrey fez um discurso muito inspirador no Globo de Ouro, enquanto recebia o prêmio Cecil B. Demille pelo conjunto da obra da vida dela como artista. O discurso, horas depois, estava no Youtube e tornou-se um viral. Jornais, revistas, canais de televisão do mundo inteiro fizeram eco àquela fala de pouco mais de três minutos.

Uma aula de comunicação. Quem se comunica precisa estudar com afinco os detalhes, a roupa, como ela começa a fala e como termina. Se está nervosa no início ou já começa firme. Como ela interage com os integrantes do evento e com o público que está em casa, assistindo pela TV. É um curso gratuito de três minutos à disposição da humanidade. Há outras obras-primas como esta, todas disponíveis na internet gratuitamente.

Eu sempre amei ouvir as pessoas falarem. Desde pastores da comunidade, padres, professores, até a visita do presidente Obama ao Brasil, quando fui convidado pelo Nizan Guanaes para ouvir o ex-presidente americano.

Tenho uma lista dos meus preferidos, começando pelo pastor e ativista dos direitos humanos, Martin Luther King. Acho que ele está à frente dos demais pelo fato de que seus discursos eram proferidos em momentos de tensão social nos EUA. Sua família ameaçada de morte, seus parceiros de causa assassinados pelos opressores e ele lá, despejando vida e palavras potentes com um olhar carregado de esperança de que dias melhores chegariam.

Na sequência, como orador, naturalmente, Obama tem seu lugar garantido na história. Ele impressiona com charme, cadência e capacidade de convencimento e de criar emoção com lógica. Faz o coração bater mais forte.

Já investi meu tempo também ouvindo e lendo discursos do primeiro-ministro do Reino Unido durante a Segunda Guerra Mundial, Winston Churchill. No caso dele, mais do que oratória, no meu ponto de vista, seu forte era a beleza do que falava. Como as palavras que ele usava tinham textura e sincronia! Era quase uma poesia que fazia o povo inglês marchar e lutar contra Hitler.

Aqui no Brasil, um dos maiores comunicadores é, sem dúvidas, Silvio Santos. A forma como ele consegue segurar a audiência com um programa de auditó-

É PRECISO CONSTRUIR A CONFIANÇA NECESSÁRIA. ANTES DE COMUNICAR PRA FORA, É PRECISO COMUNICAR PRA DENTRO.

rio por tantos anos e construir uma marca tão forte em torno de si próprio é absolutamente admirável.

Também gosto muito de ouvir o jornalista e radialista Ricardo Boechat. Ele tem o tom certo para reter a audiência, deixar as pessoas presas no que ele está falando. Rádio tem uma dificuldade adicional, porque ninguém te vê. Então o cara precisa ser bom mesmo. Usar bem a voz, que é um motor, gera resultados surpreendentes.

Nesta época de *vloguers*, o *youtuber* e comediante Whindersson Nunes é disparado um sucesso de comunicação. O que aquele menino que emergiu da pobreza no Piauí faz com uma câmera é surreal e um caso de estudo.

Outro craque é Felipe Neto. Ele tem mais de trinta anos, mas consegue dialogar com as crianças de um jeito surpreendente. Seu canal "Os irmãos Neto" acumula milhões de seguidores e tem mais relevância do que os de astros de Hollywood.

Meu amigo e investidor, Flávio Augusto da Silva, fundador da Wise Up e dono do clube de futebol Orlando City, na minha visão, possivelmente, é o melhor comunicador da atualidade entre os empreendedores.

São várias pessoas. Todas têm em comum uma capacidade de comunicação surpreendente que, naturalmente, foi desenvolvida com muito treino e trabalho duro.

Se você parar um tempo para avaliar os detalhes de cada um, vai aprender muito sobre dicção, gestual, tonalidade da voz, originalidade, expressão visual, articulação de ideias etc. E se pegar vídeos mais antigos de cada um, vai notar como comunicação é um processo de evolução diário e constante no qual qualquer um que se focar pode crescer.

Imagine quantas portas poderiam se abrir, quantos projetos você conseguiria vender ou quantas pessoas poderia transformar, se você se comunicasse do jeito que sempre sonhou. Além disso, problemas mais espinhosos que hoje te geram estresse e dor de cabeça seriam mais facilmente solucionados, como uma discussão com a esposa em casa, um liderado na empresa ou até mesmo um conflito dentro da comunidade.

Compreender que a comunicação é sua aliada para a vida faz com que tenha consciência de que precisa ter uma relação cada vez mais prazerosa, profunda e vitoriosa com ela.

Foi por conta da comunicação que desenvolvi em encontros em escolas, igrejas e presídios que consegui dezenas de parcerias para o Gerando Falcões, incluindo investimento financeiro, cursos para moradores de periferias e favelas, vagas de emprego etc.

Minha mãe diz que eu era muito tímido na minha infância e adolescência. Que morria de vergonha de falar em público, de responder à simples pergunta de qual era o meu nome.

Mas eu tomei a decisão de encarar a questão olho no olho e vencer os meus gargalos emocionais. Agora, vou tocar num ponto essencial. Comunicação é uma questão emocional.

Para alguém ser um excelente comunicador, precisa construir a confiança necessária. Antes de comunicar pra fora, é preciso comunicar pra dentro. Antes de convencer os outros, é preciso se convencer de que você pode fazê-lo. Antes de inspirar os outros, tem que se inspirar. Antes de iluminar a alma dos outros com lindas palavras, um comunicador precisa iluminar a si próprio.

Vou trazer uma experiência da favela. Temos no Gerando Falcões um lindo coral chamado "Tom Menor", liderado pelo Maestro Júnior, um dos caras mais talentosos que já conheci.

Vejo crianças que possuem vozes lindas, como se fossem de veludo. Parece que suas vozes foram equacionadas num mundo de mágica. Porém, elas vieram de lares desestruturados, com sérios problemas sociais, que não trabalharam sua confiança e capacidade de se comunicar.

Já vi muitas vezes o Maestro Júnior passar horas e horas trabalhando a confiança destas crianças, olhando fundo em seus olhos, trabalhando sua respiração, colocando-as à frente de plateias dentro da favela e construindo sua confiança emocional, desenvolvendo musculatura na alma e dizendo que, sim, elas podem fazer aquilo.

Passando um, às vezes dois meses, a transformação que aquelas crianças e adolescentes demonstram é surpreendente. A confiança com que pegam no microfone, olham para o público e o show que fazem é de tirar lágrimas. Muitas delas são crianças que um dia, infelizmente, foram abusadas sexualmente e tiveram sua autoestima destruída, mas retomaram as forças para fazer e brilhar.

Comunicação está baseada na construção da confiança. Sem confiança e força emocional é impossível se comunicar e expor as ideias com desenvoltura.

Eu sempre pergunto para as pessoas por que não querem se comunicar, subir naquele palco e fazer acontecer. Geralmente, a resposta é: eu tenho vergonha. Mas vergonha de quê? Muitas pessoas que respondem isso não têm uma razão em especial para ter vergonha. Todas as vezes em que fui vaiado, ou mesmo xingado com meu irmão de alma, Lemaestro, dentro de uma escola, aquilo estava construindo a minha confiança, destruindo minha vergonha e me fortalecendo.

Para você que deseja vencer a barreira emocional e se tornar um comunicador, sugiro que responda para si mesmo algumas perguntas:

Por qual motivo você deseja se comunicar?

O que você poderia alterar e tornar diferente, se fosse capaz de se comunicar do jeito que sempre sonhou?

O que precisa vencer para chegar lá?

Como vai saltar estes obstáculos?

Encontre seu caminho de como fazer isso. Não tenha vergonha de treinar no banheiro, na frente do espelho. Eu já fiz muito isso. Peça para sua esposa te ouvir antes de fazer a sua apresentação na igreja, ou na empresa, ou na universidade.

Quanto mais simples você quiser ser, mais trabalho vai dar. A simplicidade é trabalhosa, mas é a melhor forma de comunicação que existe.

A principal razão que você tem para se comunicar é que precisa doar algo relevante ao mundo. E a comunicação é o mais poderoso veículo que entrega ideias, inspiração e sonhos. A comunicação tem o poder de expandir a imaginação, de levantar deprimidos da cama, de salvar casamentos do desastre, de engajar milhões de investimento para uma causa, de bater recordes de vendas e de gerar empregos.

Os grandes líderes da humanidade tiveram como principal ferramenta a comunicação. Você pode estar lendo este livro com a conta bancária vazia, mas se for capaz de se comunicar e gerar resultado, pode alterar o rumo da sua história.

Talvez você seja portador de uma ideia disruptiva, que pode fazer a sociedade avançar e solucionar algum problema milenar. Se tiver coragem de se comunicar e inflamar quem te ouve, com certeza vai encontrar os recursos para colocá-la de pé.

A comunicação é mais forte do que uma bomba atômica. A bomba atômica tem o poder de matar, mas as palavras têm a força de trazer vida e entusiasmo. Existe algo mais forte do que isso? Com sua comunicação, você desperta o brilho nos olhos e a esperança de uma comunidade, uma empresa, uma escola, ou mesmo de uma nação inteira.

Pode ser que você reúna habilidades técnicas de manipular planilhas e gerenciar projetos, tenha capacidade com números e estatísticas, mas não tenha alcançado o que deseja. Sugiro avaliar como está sua força de comunicação. Se você olhar para este tema com mais carinho, poderá rapidamente aumentar os seus resultados e fazer tudo o que sempre sonhou.

Com a dose certa de confiança, você consegue fazer coisas incríveis na vida, inclusive, se comunicar.

VOCÊ É O SEU MAIOR RECURSO

Um dos grandes acontecimentos da minha vida ocorreu em 2012. Eu ainda morava com meus pais na periferia de Poá. Já tínhamos saído do barraco na favela. Morávamos em um sobrado sem reboco que no frio acabava com a gente.

Na época, eu tinha 24 anos, estava na universidade. Fui dormir e acordei com uma ideia que iria mudar a minha vida, mas me faria abandonar a universidade de Jornalismo no último semestre e investir tudo que tinha pra fazer acontecer.

A ideia era escrever um livro. Eu sonhei com o nome: *Jovens Falcões*. Quando acordei, dei um pulo da cama e gritei: "Mãe, eu vou escrever um livro chamado *Jovens Falcões*". Como sempre, a minha mãe me apoiou.

A ideia era viajar o país e entrevistar jovens que do nada foram pro tudo. Eu queria com este livro inspirar os jovens da comunidade e mostrar que existem muitas possibilidades fora do crime e do tráfico de drogas.

Eu precisava de dinheiro. Fui contar a ideia pro meu pai. Ele adorou, mas disse que não tinha dinheiro pra me dar e que, se aquele realmente era meu sonho, eu daria um jeito.

Naquele momento, começaria a minha saga como empreendedor. Afinal, empreender é tirar as ideias do papel e dar um jeito de realizar os sonhos.

Eu realmente precisava viajar o país e entrevistar esses jovens. Mas como faria isso? Resultado: comecei a vender minhas coisas, como notebook e celular, para arrecadar dinheiro.

Conversei com amigos da comunidade, aos quais até hoje sou muito grato, sobre meu sonho de inspirar a juventude por meio de um livro. Eu disse a eles que precisava de dinheiro para as viagens e muitos colocaram grana a fundo perdido. Alugamos carro, viajamos juntos e fomos atrás do sonho.

Como resultado, onze entrevistas e o livro estava de pé. Em casa, virava noites escrevendo o livro. Em alguns meses, com a ajuda da designer Amanda Boliarini, que trabalha comigo até hoje, a obra estava editada e pronta para ser impressa.

Enviei o livro pra uma editora brasileira. A resposta foi que só poderiam me dar um *feedback* três meses à frente. Eu não tinha três meses para esperar. Eu precisava agir.

Decidi publicar o livro de forma independente. Fiz orçamento com a gráfica. Precisava de alguns milhares de reais. Onde arrumar?

Mais uma vez, eu fui atrás dos meus sonhos do meu próprio jeito. Comecei a abordar comerciantes da cidade oferecendo publicidade na capa de trás do livro. Em poucas semanas tinha o dinheiro necessário para publicar o livro.

Enviamos o livro pra gráfica. Organizei um grande lançamento. Enviava convite para os amigos. Fazia ligações. Usava as redes sociais. Resultado: casa cheia. Vendemos centenas de livros. Começamos bem. Mas eu queria mais.

Porém, eu não tinha acesso às livrarias para vender meu livro nos shoppings e aeroportos. Foi aí que tive outra ideia: vender o livro de porta em porta. Montei um time com mais de 50 jovens, treinei a galera e começamos a vender a obra na própria comunidade por R$ 9,99.

Em apenas três meses, conseguimos vender algo em torno de 5 mil livros. Foi um sonho realizado. Eu nunca tinha pego tanto dinheiro na mão daquele jeito.

Aí eu pensei: o que vou fazer com essa grana? Então, tomei a decisão de criar a minha própria organização social, chamada Gerando Falcões. Aluguei uma pequena sala, comprei dois computadores e me joguei pra dentro. Francamente, naquela época, eu não tinha noção do que estava fazendo, dos riscos, das dificuldades que eu iria enfrentar.

Muitas das pessoas que me ajudaram a vender os livros de porta em porta naquela época trabalham hoje comigo, como a Nanci Menezes, secretária executiva; o Bruno Desidoro, diretor de Esporte; e a minha primeira funcionária, Amanda Boliarini, diretora de Comunicação.

Contei esta história pra poder dizer que meu grande recurso nunca foi externo, mas sim interno. Meu recurso não estava em contas bancárias, mas dentro da minha alma, que sempre se materializou em uma atitude poderosa de ir atrás daquilo que eu acreditava e almejava.

Eu não acho justo deixarmos de fazer aquilo que acreditamos e sonhamos alegando falta de recursos financeiros. É injusto consigo mesmo, com a sua biografia, com a sua passagem pela Terra.

Sim, eu sei o peso e a importância de recurso financeiro para se colocar uma ideia de pé, mas quero enfatizar que o maior recurso que você tem não pode ser medido por uma calculadora ou pelo gerente do banco.

O principal recurso de um líder, de um estudante, de um empreendedor, de uma mãe que sonha formar seu filho na universidade é a sua força interior de empurrar pra frente e criar o futuro, mesmo que ele pareça nublado e incerto.

Quando colocamos foco naquilo que nos falta, acabamos drenando a nossa energia e deixando de fazer a coisa certa. Mas quando falamos "ok, eu não tenho todo o recurso de que necessito, mas tenho forças emocionais extraordinárias que posso utilizar a meu favor", neste momento, então o jogo começa a mudar.

Tenho um amigo publicitário e empreendedor chamado Nizan Guanaes que diz: "Tudo que fica pronto na vida foi construído, antes, na alma".

As mais lindas poesias, os mais belos quadros, aquelas músicas que nos fazem suspirar, os filmes mais marcantes que nos prendem do começo ao fim, as maiores descobertas da humanidade; elas nasceram primeiramente dentro da alma de seu criador.

Não necessariamente seus criadores tinham milhões de reais em uma conta bancária aguardando pela chegada de uma grande ideia. A ideia chega. Aí, você precisa dar uma resposta grandiosa. Se terá coragem ou não para seguir em frente, utilizando o grande recurso que está armazenado dentro de si.

Toda ideia, até chegar ao seu nascimento e concretização, passa por guerras emocionais, noites de choro, humilhações, provações das mais variadas, mas se o seu criador tiver, como diz a minha mãe, o "culhão roxo" de seguir, ela cedo ou tarde se torna realidade.

Eu insisto em dizer: nosso principal recurso está dentro da nossa alma. Eu chamo isso de resistência emocional, musculatura na alma. Essa é capacidade de seguir, mesmo após sucessivas porradas e manter a cabeça erguida como um soldado.

Vou compartilhar com vocês uma particularidade. Como disse, gostaria que este livro fosse uma conversa íntima com meus leitores. Ainda no início da minha jornada, eu sabia nitidamente que recurso financeiro não era algo que eu teria facilmente. Então, precisaria suprir esta falta com outro elemento.

Foi neste momento que decidi ser um cara persistente. Eu coloquei na minha cabeça que pra eu criar uma organização social de impacto, gerar empregos e tocar a vida das pessoas, eu teria de ser demasiadamente persistente.

Todas as vezes em que estou em uma mesa de reuniões, eu sempre digo pra mim mesmo que tudo bem outros serem mais inteligentes que eu, falarem mais idiomas, terem diplomas ou acumularem mais riquezas. E olha que eu já tive a oportunidade de me sentar com artistas renomados, megaempreendedores, apresentadores de televisão e até ministro britânico. Mas ninguém, ninguém mesmo pode ser mais persistente do que eu. Eu sou o cara mais persistente da mesa.

Eu sabia que, se não fosse assim, eu desistiria logo no primeiro "não". Ou na primeira porta fechada na cara. Eu criei uma lógica emocional dentro da minha cabeça, na qual um "não" sempre me servia de estímulo.

A vida é emoção. Se você, mesmo após vivenciar derrotas, conseguir gerar a emoção correta dentro de si, vai ficar impressionado com o quanto é capaz de fazer, mesmo depois de um dia ruim.

Dominar a minha própria alma das armadilhas, das prisões invisíveis, dos naufrágios e me manter positivo diante da escassez e incerteza foi, sem dúvida alguma, o meu maior desafio e mérito como líder social e empreendedor.

Admiro muito a história e liderança do ex-presidente da África do Sul, Nelson Mandela, que foi condenado à prisão perpétua. Cheguei a ir pra Cape Town a fim de conhecer a prisão onde aquele homem passou boa parte da sua vida. Um poema, nada mais que um poema, o inspirou a não deixar a depressão sepultar a sua alma, naquela cela fria e pequena:

Invencível *William Ernest Henley*

Da noite escura que me cobre,
Como uma cova de lado a lado,
Agradeço a todos os deuses
A minha alma invencível.

Nas garras ardis das circunstâncias,
Não titubeei e sequer chorei.
Sob os golpes do infortúnio
Minha cabeça sangra, ainda erguida.

Além deste vale de ira e lágrimas,
Assoma-se o horror das sombras,
E apesar dos anos ameaçadores,
Encontram-me sempre destemido.

Não importa quão estreita a passagem,
Quantas punições ainda sofrerei,
Sou o senhor do meu destino,
E o condutor da minha alma.

Talvez você tenha lido este poema com muita pressa. Sugiro ler mais uma vez com mais calma. Tente contextualizar o poema, enquanto lê, ao seu desafio pessoal.

Ser o diretor-geral da própria alma é o desafio de estudantes, médicos, vloguers, advogados, treinadores, pais e políticos. Dirigir os próprios instintos de desistência diante da escassez é missão dura. Mas quando conseguimos saltar este obstáculo, ficamos muito próximos da linha de chegada.

Acredite, se você tiver persistência, vai acabar atraindo todo o dinheiro que precisa para realizar seus projetos. Mas sem persistência, vai acabar sem o recurso de que precisa e sem realizar seus projetos.

Transformar desistência em persistência é fundamental porque a persistência te coloca para agir. A persistência não é estática, ela movimenta as pessoas para buscar caminhos desconhecidos, soluções inusitadas.

Se você bate em uma porta dezenas ou até centenas de vezes e não te abrem, o normal é ir embora. Mas quando se tem persistência, você vai em casa, busca uma escada e pula a janela. De jeito algum aceitaria ficar de fora e perder a oportunidade de ser tão grande quanto você sempre sonhou ser.

Quantos projetos memoráveis os departamentos de grandes empresas deixam de fazer alegando falta de *budget*? Só que esquecem que o principal recurso são as pessoas, os talentos envolvidos e a capacidade dos líderes de empurrar e dizer "vamos!"

Ao mesmo tempo, quantos projetos maravilhosos fracassam apesar de obterem imensos orçamentos? Porque, definitivamente, dinheiro não é tudo. Pessoas com vasto recurso emocional fazem muito mais do que rios de dinheiro.

Na hora do embate, da luta do dia a dia, quem ganha e quem perde não é definido pela quantidade de receita armazenada, mas por quem consegue performar melhor, proteger a própria emoção e levantar depois de ir à lona.

Se fosse colocada à venda, quanto custaria a resistência do boxeador Muhammad Ali tomando socos, que mais pareciam o coice de um cavalo, que fazia tudo doer? A frieza do baixinho Romário dentro da área, em uma final de Copa do Mundo, onde falhar era desapontar uma nação? O sonho grande de Jorge Paulo Lemann, em épocas de crise financeira, em que a maioria prefere se esconder a ousar?

Essas coisas pertencem à alma! É propriedade exclusiva do universo interno. O inacessível, o imensurável, o desconhecido. O que a paquistanesa e ativista dos direitos humanos Malala disse pra sua alma depois de tomar um tiro no rosto? Como ela conseguiu dominar o medo, a dor e persistir em sua luta?

Como chegar lá? Como navegar por estas águas turbulentas?

Esta é a grande escalada. Se você conseguir chegar ao cume dessa montanha íngreme em que, infelizmente, a maioria fica pelo caminho, arrumar grana pra bancar seus sonhos vai ser fichinha.

7

VÁ ATRÁS DO *FEEDBACK*

Muitas pessoas se gabam por terem habilidade de receber *feedbacks*. Somente ouvir *feedback* não é o bastante. É fundamental, para quem desejar performar em alto nível, ter a coragem de ir atrás do *feedback* e não necessariamente aguardar pela sua chegada.

O crescimento produz dores. É impossível que alguém cresça e sua vida continue a mesma. Naturalmente, aumentam as responsabilidades, críticas e, às vezes, inclusive, a solidão da liderança.

Todo líder enfrenta um nível elevado de solidão. Ele precisa tomar decisões difíceis e não populares. Fazer a coisa certa nem sempre agrada todas as pessoas que estão à sua volta.

Nesta solidão, o líder passa a sofrer de um sério problema que diz respeito à veracidade das informações que recebe. Geralmente, as pessoas não querem fazer críticas ao líder e preferem apenas emitir elogios e palavras que vão alimentar seu ego.

Quando as pessoas que estão ao nosso redor nos dizem apenas o que nós queremos ouvir, e não o que precisamos ouvir, o risco de queda se torna eminente.

Sempre que faço reuniões com os líderes do Gerando Falcões, faço um pedido. Me confrontem. Confrontem minhas ideias e decisões. Não tenham medo de pedir uma reunião comigo e me dar um *feedback* que, a princípio, possa doer.

Lembro-me de uma ocasião em que pedi uma reunião com a então diretora de Qualificação Profissional do Gerando Falcões, Vanessa Silva. Uma jovem, nascida na periferia de São Paulo, que venceu seus desafios. Focada na educação, atualmente tem tocado a área de formação de jovens na ONG e empregado muitos deles no mercado de trabalho, mudando o rumo de suas vidas. Eu estava entusiasmado para a reunião porque queria anunciar que iríamos dar aumento salarial para Vanessa.

Começamos a reunião, eu disse que estava muito feliz com os resultados que ela produziu, com seu crescimento e performance e gostaria de oferecer um aumento salarial. Ela disse "ok" sem esboçar muita animação. A Vanessa não é de doar tantos sorrisos durante o dia. O que me chamou a atenção é que, em seguida, ela disse que teria alguns *feedbacks* pra me dar.

Eu pensei comigo: "acho que ela vai agradecer pelo aumento". Mas não! Vanessa tocou em um assunto muito relevante.

Temos dentro do Gerando Falcões um nível de diversidade muito alto: há homens e mulheres, gays e héteros, negros e brancos, evangélicos, budistas, católicos, espíritas etc. Eu tenho muito orgulho disso.

Vanessa saiu em defesa das mulheres. Segundo ela, embora exista um número grande de mulheres dentro da ONG – inclusive maior que o número de homens – elas ainda não são ouvidas como tomadoras de decisão e a decisão, geralmente, fica debaixo do chapéu dos homens.

Ela foi muito sincera comigo e disse que isso estava incomodando-a e que eu poderia olhar para este tema e influenciar a mudança para que houvesse mais igualdade no processo de escuta e tomada de decisão nas reuniões com os líderes.

Nós fomos criados em uma sociedade machista. Por mais que tentamos esconder e parecer que não, a nossa educação foi orientada para privilegiar o homem. Mas só vamos conseguir mudar nossas atitudes, comportamento e cultura do país, se tivermos mulheres líderes e arrojadas, que provoquem conversas transformadoras e, sobretudo, agregadoras. Menos muros e mais pontes. Vanessa soube fazer isso.

O *feedback* não parou por aí. Ela também disse que eu grito muito dentro do ambiente de trabalho. Como o Gerando Falcões é todo aberto, quando preciso falar com algum coordenador, eu tenho a mania de dar um berro e chamá-lo pelo nome, sobretudo a Nanci, minha secretária direta, que cuida da minha agenda. Nunca ninguém havia reclamado disso. Porém Vanessa falou que isso incomoda e que, às vezes, assusta as pessoas. E que eu poderia tomar mais cuidado.

Eu sai murcho da reunião. Estava esperando um sonoro "obrigada" pelo aumento, mas não rolou como eu imaginava. Foi ainda melhor, porque eu recebi a verdade e a chance de avaliar as informações, criar um espaço melhor para as mulheres liderarem dentro do Gerando Falcões e, da minha parte, fazer menos barulho no dia a dia, dentro do escritório.

Eu ouvi cada palavra com muito interesse, atenção e carinho. Minha admiração pela Vanessa depois daquela conversa aumentou. Francamente, eu senti que nossa relação melhorou depois daquele dia.

Uma conversa verdadeira, olho no olho, pode alterar comportamentos, fazer com que líderes enxerguem seus pontos cegos e vejam oportunidade de ser melhor e fazer diferente.

Geralmente os líderes são vocacionados a dar *feedback* e, praticamente, não recebem de volta, porque as pessoas não querem se arriscar a dizer algo que vá entristecer e, eventualmente, danificar a relação.

Quando o líder não recebe o *feedback*, ele deixa de crescer, de se transformar com o tempo e quem sofre com isso é a organização ou o setor que ele lidera. Criar um time com pessoas diferentes e possibilitar uma comunicação franca, realista, que confronte a forma como enxergarmos o mundo, é transformador.

Imagine receber o *feedback* de alguém que teve uma educação completamente diferente da sua, outra cultura, outros códigos de sobrevivência, outras músicas, outras referências sociais. Se esta pessoa for honesta, ela pode te fazer enxergar pontos cegos que em anos em uma universidade não foi possível.

Como tenho a chance de conviver rodeado de gays e héteros, pessoas de direita e de esquerda, religiosos e ateus, feministas, ex-presidiários, eu tenho a chance de ouvir muitos pontos de vista diferentes, de coletar muitos *feedbacks* o tempo todo sobre a forma como enxergo o mundo. Isso me ajuda a modelar minha visão.

Minha sugestão para quem é líder ou almeja ser é: se esforce para construir uma cultura em que as pessoas não tenham medo de te dar um toque se você estiver com mau hálito. Se as pessoas tiverem receio, é porque os muros ainda estão em pé.

Enquanto escrevo este livro, minha esposa Mayara lê *Plano B*, de Sheryl Sandberg, chefe de operações do Facebook e filantropa, que defende a presença da mulher nos mais diversos setores da sociedade. O livro fala de resiliência e tem um capítulo em que ela trata do tema *feedback* de forma magistral.

Em um trecho do livro, ela escreve:

> Um dos melhores jeitos de nos ver com clareza é pedir que os outros segurem um espelho diante de nós. No basquete, Gregg Popovich levou o San Antonio Spurs a cinco títulos da NBA. Depois de perder nas finais, um ano, ele sentou com o time para rever cada jogada das partidas anteriores e descobriu o que tinham feito de errado. "A medida de quem somos é o modo como reagimos a algo que não sai do nosso jeito", ele disse. "Sempre existem coisas que você pode fazer melhor. É um jogo de erros".

Dedicamos tempo demasiado para falar sobre as vitórias, nossos melhores momentos. Mas avaliar os erros e o que nos levou a errar faz enxergarmos tudo que podemos fazer diferente e melhor. Esse exercício pode constranger, mas é eficiente. A crítica produz crescimento.

Como eu já disse neste livro, todos os anos realizo um jantar de captação de recursos para o Gerando Falcões. Um dos pontos altos do evento é o discurso que faço. Afinal, modéstia à parte, as pessoas estão pagando para participar do jantar, colaborar com a causa e também querem me ouvir falar algo relevante e saírem de lá inspirados.

Quem me conhece no palco sabe que sou bastante espontâneo, enérgico. Falo para o coração das pessoas. Em 2017, decidi fazer um discurso diferente. Escrevi cada palavra que eu iria dizer. Fiz pesquisas e levantei dados sobre a realidade social do país. Era um discurso de 15 minutos. Memorizei cada palavra. Treinei em casa por semanas.

No dia do evento, eu estava confiante. A atriz Maria Ribeiro, que fez *Tropa de Elite*, me chamou ao palco. Eu subi radiante e fiz o discurso. Ao final, as pessoas aplaudiram de pé e tivemos uma arrecadação recorde. Eu estava realizado. No dia seguinte ao evento, comecei a receber *feedbacks* de amigos bastante divididos.

Na prática, 50% do público presente havia amado ver um Edu mais sério, falando de um tema difícil e apontando um caminho para a sociedade. Outros 50% disseram que foram ao evento esperando no palco aquele Edu sorridente, que inspira as pessoas fazendo-as sorrirem e sentirem-se capazes de mudar o mundo.

Alguns amigos me ligaram no celular, outros mandaram e-mail ou pediram para almoçar comigo para me darem *feedback* do evento de uma forma muito verdadeira e honesta. Eles diziam que eu não precisava me tornar outro Edu, que eles eram apaixonados pelo cara alegre, envolvente, enérgico e que, às vezes, fala as coisas no improviso.

Eu havia me preparado muito para fazer um discurso que tomasse todos pelo coração. Mas deu errado. Consegui atingir 50% do público e quase que desapontar a outra metade.

Imagine a minha situação. Um menino recebendo ligações de presidentes de companhias dizendo que eu errei no tom e deveria ter feito diferente.

Na primeira semana, eu tive dificuldade de dormir à noite. Me culpava e tentava encontrar respostas. Mas depois, entendi o outro lado da história.

Primeiro, por mais difícil que seja receber o *feedback*, tentei imaginar o quanto devia ter sido difícil para meus amigos darem o *feedback* e dizer que eu poderia ter feito melhor. O quanto se prepararam, escreveram e apagaram o e-mail. Pegaram no celular para ligar e cancelaram a ligação.

Encontrei naqueles *feedbacks* um gesto de amor, respeito e comprometimento. Aquelas pessoas estavam comprometidas comigo, com meu crescimento e trabalho na comunidade. Elas não estavam lá apenas para doar recurso, mas haviam construído um profundo vínculo emocional.

Então, enviei um e-mail para cada pessoa que investiu seu tempo e correu risco de ser, inclusive, mal interpretada por mim e arranhar uma amizade.

Seguindo o princípio de honestidade deste livro com meus leitores, compartilho um dos e-mails que enviei ao amigo e conselheiro do Gerando Falcões Silvio Genesini, que foi presidente da Oracle Brasil e Grupo Estado, e também sua reposta:

Salve amigo Silvio,

Tudo bem?
Escrevo para agradecê-lo por seu importante, genuíno e rico feedback *sobre o Jantar dos Falcões e o tom do meu discurso. Recebi suas palavras com imenso carinho e verdade.*

Você compartilhou a sua visão e percepção. É preciso ter um nível elevado de coragem. Além disso, você dedicou mais uma vez o seu tempo e me ofereceu uma conversa qualificada.

Certeza de que nossa relação alcançou um nível de profundidade ainda maior. Seu feedback *me ajudou a refletir e modelar. Uma conversa agregadora. Valeu, irmão. Poucos fazem isso. Por isso, você tem um lugar especial no meu coração.*

#tamojunto
Carinhoso abraço,
Edu

Ao lado a resposta do Silvio:

Edu,

Obrigado pela mensagem.

Você é um líder como poucos eu vi em minha vida profissional. O Jorge Paulo, no final da nossa apresentação, disse que a sua evolução como líder foi clara e, por isso, ele continuaria investindo no Gerando Falcões.

Eu também, modestamente, acho isso. Qualquer que seja o caminho tenho certeza de que você estará lá para fazer os ajustes e encontrar a direção certa e justa.

Independente dos meus comentários, tenho a certeza de que você encontraria o tom certo da mensagem e do discurso, mas fico contente que os meus comentários tenham ajudado.

Continuamos juntos, como sempre.
Forte abraço,
Silvio

E mais ainda. Selecionei as pessoas que me deram *feedback* sobre o jantar e meu discurso, que eram ligadas ao marketing e comunicação, e convidei-as para fazer parte de um Conselho de Imagem e Comunicação do Gerando Falcões. Elas toparam. Ainda ganhei, de quebra, o trabalho voluntário de pessoas como Marcel Sacco, presidente da Hershey's no Brasil e Carmela Borst, que foi vice-presidente de marketing da Oracle para a América Latina, entre outros. Se eu tivesse de pagar, custaria milhares de reais.

Abaixo o e-mail em que faço o convite:

Amiga Carmela,

Tudo bem?

Após o último Jantar dos Falcões, recebi carinhosos feedbacks *de amigos sobre o posicionamento do evento, o tom adotado e oportunidades de melhorias que temos pela frente.*

Diante deste cenário, tivemos a ideia de montar um "Conselho de Imagem e Comunicação" para me orientar nas decisões estratégicas dos próximos jantares e temas relacionados.

Você foi uma das pessoas que demonstrou comprometimento com a história e crescimento do Gerando

Falcões oferecendo-me feedback. *Portanto, gostaria de convidá-la a compor este time de amigos.*

Vamos trabalhar com uma agenda de reuniões bimestral, que será construída antecipadamente. Este comitê será liderado pelo conselheiro Felipe Almeida. Eu estarei sempre presente às reuniões. Cada conselheiro tem mandato de dois anos. Ficaria muito feliz, caso possa participar. Ter uma líder como você ajudando a pensar a transformação da periferia e da favela é um salto pro Brasil.

Muito obrigado por seu carinho.

#tamojunto
Beijos,
Edu

A forma que reagimos aos *feedbacks* revela muito sobre nós mesmos. Se temos a humildade de ouvir para aprender e, quando necessário, mudar, ou se nos sentimos senhores da razão.

Dar *feedback* é muito delicado, sobretudo para quem oferece. Se reagirmos com truculência, isso torna a experiência negativa e frustrante. Consequentemente, fechamos a porta, porque a pessoa nunca mais vai investir seu tempo com a gente.

Quando alguém me liga ou escreve para dar um *feedback*, é praticamente uma doação que ela está fazendo para meu crescimento. Essa pessoa merece receber um presente em casa, um postal, uma homenagem.

Além disso, é raro, muito raro, encontrar pessoas que tenham coragem de dar *feedback* e disposição para gastar o tempo delas em uma conversa agregadora.

No curso da sua vida, você vai, infelizmente, encontrar poucas pessoas que estão, genuinamente, comprometidas com você. São poucas as pessoas que se importam, que olham para o detalhe do detalhe. Quando você encontrar uma pessoa assim, trate-a de forma diferente. Essas pessoas merecem um tratamento completamente especial e único. Ofereça um jantar. Se você puder, para honrá-la, dê uma festa. Porque na sua frente existe uma raridade.

Reagir do jeito certo a um *feedback* está diretamente relacionado à sua maturidade emocional e resiliência. Se você esbraveja, não aceita, briga, me desculpe, mas existe um problema sério com você.

Feedback serve para ouvir, voltar pra casa, refletir e modelar. Modelar é melhorar. Encontrar a calibragem certa. O equilíbrio entre o que você acha ser o correto e a realidade de como as coisas funcionam.

Eu interpreto quase tudo como *feedback*. O "não" é um *feedback*. Quando não recebo a resposta de um e-mail, também é um *feedback*. Quando estou discutindo um tema relacionado ao meu casamento com a minha esposa e não tenho o resultado que esperava, é um *feedback* sobre minha abordagem.

Então, eu costumo parar, avaliar e, sobretudo, modelar. Depois de modelar, eu volto com uma nova abordagem, um e-mail diferente, um novo discurso que tente encantar não apenas 50%, mas 100%.

Vá atrás do *feedback* e modele pra próxima.

DOAÇÃO

As pessoas mais felizes e realizadas que conheço são aquelas que doam mais de si ao mundo e a todos que estão em seu entorno. De tanto doar amor, carinho e bondade, elas recebem de volta o mesmo, empacotado em gratidão e afeto. Por outro lado, as mais infelizes são aquelas que só pensam no seu próprio umbigo, que não dividem e não agregam nada ao próximo e ao mundo.

Definitivamente, a melhor forma de receber é dar. Afinal de contas, tudo que mandamos ao mundo volta pra nós mesmos.

O resultado que temos na vida está diretamente ligado ao que estamos oferecendo de nós mesmos ao mundo. Tem uma frase da Madre Teresa de Calcutá que representa na calibragem certa o que estou tentando dizer: "As mãos que doam são mais sagradas do que os lábios que rezam".

Doar vale mais que rezar, porque doar está diretamente ligado a agir, participar, se importar, ir a fundo.

Não falo necessariamente em doar dinheiro para causas, naturalmente isso tem um grande valor, mas falo sobre todo tipo de doação. O mundo precisa urgentemente de pessoas que doem amor para quem precisa, perdão para quem errou, tempo para causas em comunidades de extrema pobreza.

Eu falei bastante neste livro sobre liderança, mas a liderança só é completa se estiver ligada ao exercício da doação.

Doar vai na contramão de receber. O mundo é construído sob uma lógica de que temos que tirar vantagem em tudo, obter lucro, crescer rápido e, nesta busca incessante, esquecemos que não viemos ao mundo apenas para receber, mas para doar também.

E doar oferece um novo significado a nossas vidas. Doar nos eleva a um nível de humanidade maior, nos coloca mais perto da grandiosidade que é o ser humano.

Conta-se que um banqueiro foi visitar a casa onde a inspiradora Madre Teresa cuidava dos enfermos e ficou observando a dedicação, o cuidado e o carinho dela com todos. Após um tempo, ele aproximou-se da Madre Teresa, que fazia um curativo em um homem extremamente doente e disse:

– Irmã, eu não faria isso por dinheiro nenhum do mundo!

Ela olhou para ele, sorriu em silêncio e falou baixinho:

– Nem eu, meu filho.

Porque nem tudo é dinheiro, conquistas e méritos, a vida também é sobre doação, entrega. Sem doação, a vida vai ficando cada vez mais vazia e uma hora não cabe no peito. E aí é o fim. E tem muita gente que come, compra e vende todo dia, mas por dentro está morto, opaco. Sabe por quê? O egoísmo é um veneno. Se você quiser ser mais feliz, pleno e realizado, sugiro urgentemente que doe parte do seu tempo para tornar o mundo melhor.

Se puder, doe também uma porcentagem do que recebe todo mês a uma causa social com a qual você se identifica. Doar, Edu? Sim, doar recursos. Isso vai te tornar uma pessoa muito mais completa e vai dar ainda mais significado para sua história de vida. E seus filhos vão se sentir orgulhosos.

Lembre-se de que doar é uma das melhores formas de viver a vida, pois agrega valor à sua alma, oferece realização interior e um sentimento muito mais poderoso do que poder comprar algo em um shopping center.

Minha vida toda é doando meu tempo, generosidade, afeto e amor para pessoas que erraram ou que não receberam uma oportunidade justa na vida.

Uma vez recebi no Gerando Falcões uma juíza. Na ocasião, apresentamos um homem que havíamos tirado do crime, o sr. Osmar. Ela ouviu a história dele, que havia passado mais de trinta anos preso no sistema carcerário por envolvimento em roubo a banco, formação de quadrilha etc.

Quando ele acabou, ela disse, espantada, que ele devia ter feito coisas horríveis no passado. Eu disse que ali, no Gerando Falcões, era proibido julgar e que meu papel era oferecer uma segunda chance e liberar o perdão.

Se eu julgar as pessoas, não vou conseguir olhar pra frente e levá-las para um novo estágio de vida. Então, eu guardo meu julgamento e ofereço perdão. Quando você envia isso ao próximo, cria uma relação profunda, de cumplicidade, e quem a recebe se sente na obrigação de devolver à altura e não frustrar a relação. Aí está formado um elo, muitas vezes indestrutível e que pode durar a vida toda.

Quem manda ao mundo algo poderoso, humano, belo, genuíno, recebe automaticamente algo grandioso e incrivelmente tocante.

E nunca é cedo demais para começar. Tenho voluntários de 14 anos de idade dentro do Gerando Falcões. É uma tremenda lição de vida. Eles doam seu

SEMPRE QUE FOR COLHER, COLHA COM APENAS UMA MÃO E CONTINUE PLANTANDO COM A OUTRA.

tempo e amor ao próximo. Eles não possuem recurso financeiro para doar, pois vivem em famílias de baixa renda, mas perceberam que doar seu tempo e trabalho seria útil para mudar outras vidas.

Não seja egoísta. O mundo é todo seu, mas não é só seu. Todo mundo tem algo extraordinário que, se for doado, tornará o planeta e a humanidade melhor.

Quem tem compromisso apenas em receber, vai acabar sem nada, porque uma hora a fonte seca. Meu amigo empreendedor Flávio Augusto da Silva disse uma vez: "Edu, sempre que for colher, colha com apenas uma mão e continue plantando com a outra".

Ou seja, mesmo quando estiver recebendo algo do mundo, continue doando, porque aí sua colheita não será momentânea, mas vai durar para sempre.

A melhor forma que existe para receber é doar. E você pode doar coisas extraordinárias. Todos podem. Precisa decidir já! E, claro, se for capaz de doar, vai colher experiências maravilhosas e momentos que jamais se apagarão da sua memória.

Quem doa mais, recebe mais. Coloque o seu melhor na mesa e o melhor do mundo voltará pra sua mesa.

Olhe para os casamentos felizes. Ali existe muita doação. Muita entrega. Não existe outro caminho. Não tem formula mágica.

Por isso, preciso contar para vocês que a melhor coisa que me aconteceu na vida foi ter casado com Mayara Nassar Cardoso Lyra. Antes de conhecê-la eu trabalhava feito maluco pra fazer o Gerando Falcões acontecer. Começava muito cedo e parava meia-noite, às vezes, uma hora da manhã. Sem qualidade de vida e sustentabilidade.

Quando a conheci, fiquei apaixonado de largada. Foi amor à primeira vista. Começamos a trabalhar juntos, quando eu não tinha dinheiro pra colocar gasolina no carro, pagar o aluguel da ONG. Ela sempre junto. Lutando a cada dia. As coisas foram amadurecendo, começamos a namorar e depois eu a pedi em casamento. Ela abriu um largo sorriso e aceitou. Eu ganhei mais que uma esposa, sim, ganhei uma lutadora que iria entrar em todas as batalhas comigo.

Durante o namoro, eu tinha um carro velho e, quando precisava ir a reuniões no centro de São Paulo, pegava emprestado o carro da Ma, à época uma Eco Sport preta, pra não passar vergonha. A gente se divertia muito e trabalhava bastante.

A Ma não vem da favela como eu. Tem uma história de vida diferente. Mas fomos ligados por um propósito de mudar a realidade social e por um amor poderoso e verdadeiro.

No convívio em família, Mayara me ensinou muito sobre doação. A Ma, como a chamo carinhosamente, trabalha comigo no Gerando Falcões como diretora financeira. Ela tem grandes responsabilidades com a organização social. Sob sua gestão, passamos a ser auditados pela KPMG, criamos um modelo de prestação de contas muito mais eficiente, bonificação para os líderes e o Orçamento à Base Zero (OBZ).

Mas além de uma grande profissional, que vai todos os dias pra guerra ao meu lado, Mayara tem um cuidado impressionante com o lar. Ganhei uma filha do coração chamada Lara, pela qual sou apaixonado. Veio o kit completo. A alegria do meu lar.

Mayara é o meu ponto de equilíbrio, minha amiga e parceira. No seu exemplo de multitarefas, que executa tudo com excelência e muitas vezes se cobra tanto, como a maioria das mulheres, tenho dentro de casa um exemplo diário de doação integral, que alimenta o meu lar, rega o casamento e faz de mim um homem muito mais feliz e realizado.

Quando olho pra minha esposa, vejo o exemplo de milhões de mulheres brasileiras, que suportam o peso do mundo nas costas, mas não se cansam de se doar.

Mayara e minha mãe são as duas grandes mulheres da minha vida. Minha mãe na favela, no barraco, na fome. Mayara hoje, quando os desafios não são mais se vou conseguir comer amanhã, mas se vou manter o foco e os valores em pé, diante de tantos desafios e armadilhas. Cada uma a seu jeito, em sua época, com suas habilidades, me ensinam que a melhor forma de receber é doar.

Na verdade, o segredo por trás de eu ter saído da favela e ido pro mundo são as mulheres da minha vida. Uma me fez decolar e, a outra, não deixa o voo desabar.

Elas doam o que existe de melhor dentro delas: AMOR!

APRENDENDO COM GENTE BOA

Quando o Gerando Falcões começou a crescer, uma das minhas principais preocupações era relacionada à gestão. Meu *background* não foi gestão. O meio em que cresci me fez desenvolver inteligência da rua, de resiliência e força emocional e, no tempo em que fiquei na universidade, foquei em comunicação.

Eu sabia que a falta desta competência poderia atrapalhar o nosso desenvolvimento e sustentabilidade ao longo do tempo. Toda empresa tem muito a cara do seu líder. Daí o fato do Gerando Falcões ser dinâmico, ousado, crescer rápido, superar os desafios. Mas faltava um olhar mais sistêmico, de metas arrojadas e bem definidas para todas as áreas, indicadores de performance, rituais de gestão, plano de carreira para os colaboradores etc.

Eu comecei a olhar para o mercado e estudar qual empresa era referência em gestão, quem estava à frente pra eu poder aprender. Inevitavelmente, a companhia que mais me chamou a atenção foi a Ambev. Por onde eu passava, ouvia muitos comentários relacionados à cultura da empresa e à decisão de sempre erguerem o "sarrafo mais acima".

Decidi escrever um e-mail para Jorge Paulo Lemann e checar se havia um caminho pelo qual eu pudesse aprender com a empresa que ele ajudou a criar. Eu já havia procurado o Lemann outras vezes. Há mais de quatro anos o Lemann investe recursos no Gerando Falcões e me provoca a pensar grande e dar escala ao meu sonho, sempre com seu tradicional e inspirador "Edu, vaikidá". Eu tenho dito que ele transforma cordeiros em leões.

Preparei o e-mail, li e reli. No texto, eu dizia que precisava desenvolver a capacidade de gestão do Gerando Falcões para mantermos o crescimento e que adoraria aprender com a Ambev. Disparei. A resposta chegou imediatamente.

Lemann disse que iria checar internamente e me daria uma resposta em breve. No dia seguinte, ele me apresentou por e-mail ao Bernardo Paiva, CEO da companhia no Brasil.

Fiquei feliz. Não imaginava que ele faria a conexão diretamente com o presidente da empresa no país. Ele levou o assunto muito a sério e se importou, como sempre faz.

Lemann disse ao Bernardo que eu gostaria de aprender com os mecanismos de gestão da empresa para implantar no Gerando Falcões. Bernardo, um líder muito humano, me convidou para uma reunião na Ambev. Ele disse que iria participar e me apresentar ao Fábio Kapitanovas, diretor de Gente e Gestão da Ambev para a América Latina.

A reunião foi no tradicional escritório da empresa, na Avenida Dr. Renato Paes de Barros, no Itaim Bibi, em São Paulo. Eu estava acompanhado da Valentina Medrano, então diretora de Operações do GF. Foi um encontro muito especial. Bernardo falou da cultura da empresa e deu bastante enfoque naquilo que eles chamam de "gente boa" e "sonho grande". Pude fazer muitas perguntas e tirar dúvidas, de um presidente jovem para um presidente com "muita quilometragem".

Ao final, fiz o pedido de criarmos uma agenda estratégica para analisarmos os principais gargalos administrativos do Gerando Falcões e implantarmos processos e programas de melhoramento.

Bernardo topou de primeira e, atento à conversa, Kapitanovas disse, com um largo sorriso no rosto, que teria toda a alegria de conduzir o processo. Ali nascia um programa de consultoria que iria transformar o Gerando Falcões completamente.

Ao longo de seis meses, Kapitanovas fez dezenas de reuniões em horários alternativos. Lembro-me de, às vezes, chegar na Ambev por volta de 19h e sair de lá às 22h. Kapita sempre pedia pizza pra gente aguentar o tranco e só podíamos beber Guaraná Antarctica. Nada de Coca-Cola.

Neste período, tive a oportunidade de ir aos Estados Unidos fazer um curso de liderança em Harvard, onde fiquei quase três meses, em Boston, por meio de bolsa de estudos doada também por Lemann. Ainda assim o projeto continuou andando. Eu acompanhava à distância fazendo reuniões de alinhamento e a Valentina tocava com mão de ferro ao lado do Kapitanovas.

Como resultado, implantamos um plano ousado de metas em todas as coordenadorias, além de indicadores de performance e bonificação aos líderes da organização social que atingissem os resultados.

Aprofundamos naquilo que a Ambev chama de Orçamento à Base Zero (OBZ), onde colocamos foco em cortar custos e eliminar gastos desnecessários. Como eles falam, "custos são igual unha. Se não cortar, cresce".

Além disso, olhamos com mais atenção para nossos rituais de gestão. Podemos entender isso com as reuniões semanais de acompanhamento, que fariam com que alcançássemos os resultados pelos quais nos comprometemos.

Também foi desenhado um plano de carreira para os colaboradores do Gerando Falcões, assunto sobre o qual sempre fui cobrado, mas não havia conseguido implantar de forma definitiva.

O resultado foi uma evolução mais do que significativa em nossos indicadores. Só para se ter uma ideia, apenas em 2017, conseguimos injetar mais de meio milhão de reais na economia com novos empregos para jovens e adultos.

O sentimento de dono e a proatividade dos líderes subiram a taxas altíssimas. Nosso índice de atendimento nos projetos aumentou de forma muito relevante e o número de faltas caiu. Dobramos de tamanho a captação de recursos, mesmo diante da crise econômica.

A convivência com pessoas como Bernardo Paiva e Fábio Kapitanovas também contribuiu diretamente na minha liderança. Me fez ter um olhar mais direcionado à gestão e comprometimento com os rituais que foram implantados, como a formação de novos líderes para que, um dia, o Gerando Falcões siga independente de mim.

Eu consegui compreender que precisava desenvolver um equilíbrio entre aquilo em que eu sou bom

– inspiração, visão, comunicação, engajamento, transitar em favela, periferia – e mesclar com gestão, eficiência, acompanhamento de resultados, *feedback* e desenvolvimento de pessoas.

O Gerando Falcões ainda tem muitos saltos para serem dados em gestão, mas, preciso reconhecer, somos infinitamente melhores depois da Ambev. Sou muito grato aos amigos Lemann, Bernardo e Kapitanovas. Como falamos na favela, os caras são "sangue bom".

Costumamos buscar informação e desenvolvimento na universidade ou em cursos oferecidos pelo mercado. No entanto, o aprendizado com quem está no mercado há anos é rico e não pode ser ignorado.

Imagine o que significaria, para um atleta que sonha em alcançar uma medalha olímpica, poder passar um dia com o ex-velocista Usain Bolt. Quanta informação esse jovem iria receber sobre gestão da emoção em momentos de estresse, sobre resiliência nos treinamentos, construção da autoestima, administração da carreira.

Em 2017, organizei várias mentorias para meu time com grandes líderes como Daniel Castanho, presidente do grupo Ânima, o empresário Abílio Diniz e sua esposa Geyze Diniz, Jorge Paulo Lemann, entre outros.

Achar que sabemos tudo é o pior erro que podemos cometer como líderes. Aquilo que você faz pode ser feito de um jeito muito melhor e sempre dá para evoluir. Tem muito conhecimento construído que não está necessariamente organizado pela academia e você só vai descobrir se tiver a humildade de pedir ajuda.

Colocar o tênis e ir pra rua ouvir é uma demonstração de humildade. Às vezes, passamos meses e anos "batendo cabeça" e cometendo os mesmos erros. A resposta pode estar do outro lado da rua, com alguém que esteja fazendo aquilo melhor que você e poderia te ensinar o caminho.

Nessa minha curta jornada como empreendedor, tenho notado cada vez mais que as pessoas querem ajudar. Quando você envia um e-mail para alguém dizendo o que você faz e que precisa de apoio com informação, a outra pessoa vai se sentir honrada em poder dividir os conhecimentos acumulados em anos de luta.

Quanto vale este conhecimento? Quanto teríamos de pagar para ter a orientação de quem faz aquilo dia após dia, por décadas? De quem já tomou todos os tombos e sabe, no ponto certo, qual o melhor jeito de se levantar?

O sonho de tornar o Gerando Falcões uma rede de ONGs, dentro de favelas, nasceu durante uma mentoria com Lemann. Eu pedi um conselho. Ele disse: "Edu, você precisa encontrar outros Edus e investir neles. Dar escala para seu projeto. Pensar grande".

Eu saí da reunião e pedi um encontro com Leonardo Framil, presidente da Accenture para a América Latina. Nos encontramos em um restaurante em São Paulo. Framil tem um carisma absurdamente envolvente e um charme de fazer inveja. Eu digo, carinhosamente, que ele é o CEO estadista da Accenture.

No encontro, disse que havia chegado a hora de dar escala para o Gerando Falcões nas favelas do Brasil, mas eu precisava ter ao meu lado os melhores cérebros do mercado junto com a favela. Então, pedi a ele a doação da Accenture de um projeto de consultoria para criação do nosso planejamento estratégico de expansão. Framil topou na hora.

Se eles fossem cobrar, eu não teria como pagar. Um *job* desse, com a qualidade do pessoal alocado no projeto, teria um valor de mercado altíssimo. Mas Framil topou engajar a companhia pró-bono pelo fato de o Gerando Falcões ser uma ONG e o projeto ser desafiador, alinhado com os propósitos da Accenture.

Se eu não tivesse marcado o almoço, olhado em seus olhos e pedido a doação do projeto, ele não iria cair do céu. Lembre-se: tem que se expor ao risco de ouvir o "não". Mas quanto mais você melhora, mais chance tem de conquistar o "sim". Conquistar o sim é quase uma ciência exata. Tem um jeito certo de ser obtido.

Ter ido pedir conselho pro Lemann fez nascer a ideia de replicar o Gerando Falcões em outras favelas. Ir conversar com o Framil fez o projeto nascer. E, finalmente, em outubro de 2017, consegui reunir os empresários Flávio Augusto, fundador da Wise Up; Carlos Wizard, dono da Mundo Verde e da Topper; Daniel Castanho, presidente do Grupo Ânima, que detém Universidade São Judas e HSM; e Lemann.

Naquela tarde, conseguimos um investimento recorde na história do Gerando Falcões, que em janeiro deste ano tornou-se uma rede com recurso para erguer, inicialmente, nove unidades. Com este recurso, vamos atrás de mais investidores para criar a maior rede de ONGs do planeta e mudar a realidade das favelas.

Eu não tive a ideia. Fui provocado. Comecei a sonhar com isso dia e noite. Isso, agora, se tornou a visão pela qual vou dedicar os próximos vinte, trinta, quarenta anos da minha vida.

Não tenha vergonha de pedir orientação. Mas você não pode ser, como falamos na favela, "vacilão" a ponto de deixar a bola passar e não marcar o gol. Muitas pessoas deixam o conselho entrar por um ouvido e sair por outro. Acorda! Tem de ter sensibilidade de pegar no ar.

Um fato que marcou muito a minha história, ainda na adolescência, foi a época em que eu jogava futebol e sonhava ser um jogador profissional. Meu pai me levou pra fazer um teste num time de futebol em Jacarezinho, norte do Paraná.

Eu não era bom jogador, mas como a maioria dos meninos de favela, eu queria seguir carreira. Cheguei pra fazer o teste. Havia dezenas de adolescentes do Brasil todo. Fui colocado pra jogar e foi um fiasco. Minha postura dentro de campo, o domínio de bola, coordenação motora etc. Um fracasso. Fui reprovado.

Meu pai foi conversar com o treinador que disse que eu estava abaixo da média, mas que iria me dar um conselho pra eu evoluir. Disse que, chegando em São Paulo, eu deveria jogar bola com atletas mais velhos e melhores que eu. Segundo ele, além de treinar em uma escolinha, eu teria de entrar em um time de várzea e jogar no meio dos boleiros, em campeonatos na periferia, na pressão do campo em uma favela, com centenas de pessoas na beira, gritando. Ele disse que eu ia me machucar, ia tomar cotoveladas no nariz e ia chegar em casa com o olho roxo, mas ia crescer e aprender muito mais que os outros.

Meu pai perguntou se eu queria realmente. Eu disse que sim. Foi isso que fizemos. Assim que chegamos, meu pai me matriculou na escola de futebol Ajax, liderado pelo sr. Ricardo, um grande líder de comunidade, que salvou milhares de jovens das drogas e da criminalidade. Comecei a treinar de segunda a sexta-feira. Também fui jogar na várzea, no meio de bandidos, trabalhadores, ou seja, com todo tipo de gente dentro de campo.

Às vezes, eu chegava em casa todo quebrado, mas escondia o machucado pra minha mãe não ver. Eu tinha 15 anos e a maioria 22, 30, 35 anos. Fui aprendendo os atalhos de dentro de campo, a jogar debaixo de extrema pressão, a ter que disputar um campeonato e virar o jogo.

Por outro lado, mais profissionalmente, sr. Ricardo me ensinava a como bater na bola, a desenvolver coordenação motora, bem como o posicionamento tático. Além disso, fortalecia meu condicionamento físico para suportar o ritmo forte dentro de campo.

Outros atletas, como Leonardo Precioso, Bruno Poá, Gleisson, Gilson, Bizu, Diza, Caio, Tatu, me ensinaram muito e ali eu construí grandes amizades. Resultado: seis meses depois eu dei um salto espantoso. Fui jogar no Esporte Clube Matsubara, do Paraná. Lá me tornei capitão do time juvenil e fomos campeões Norte-Paranaense. Depois, fui realizar o sonho de jogar no Corinthians. Fiquei por lá nove meses, no time junior, quando decidi encerrar a carreira e buscar algo mais sustentável pra minha vida. Foi uma decisão pessoal.

A galera da minha geração na comunidade sabe que meu caso foi praticamente um milagre, de alguém muito ruim de bola que deu saltos de qualidade em tão pouco tempo e foi parar em um time profissional, podendo seguir carreira, se quisesse.

A resposta: aprender com os melhores. Tomar porrada, chorar, errar, mas estar lá focado em cada detalhe. Eu olhava até como amarravam a chuteira, como colocavam o meião, tudo. Eu cresci estudando como os melhores faziam, em como reagiam no momento de pressão, em como batiam na bola e atacavam com força o inimigo.

Eu aprendi que sempre é possível aprender e se tornar muito bom naquilo que você ama, se estiver disposto a estudar quem é melhor que você. Muito melhor que você. Ter a humildade de se colocar na posição de aprendiz e dizer "Eu estou aqui pra aprender" é uma qualidade que faz pessoas comuns se tornarem extraordinárias e subirem o nível da entrega final.

Seja lá qual for a sua ambição: ser um melhor gestor, designer, líder, pai, marido, amigo, político, padre, pastor, irmão, amigo. Tem alguém que é muito bom nisso e se você pedir do jeito certo, com certeza terá o apoio de que precisa para se desenvolver e alcançar seus objetivos.

Agora, tem um ponto fundamental: cuidado, muito cuidado com quem você define como referencial. Tenha zelo e critério na hora de definir para quem pedir orientação. Olhe, sobretudo, para os frutos dessa pessoa. Avalie cuidadosamente quais resultados ela apresenta. Se forem resultados falsos ou mais discurso que ação, afaste-se e procure alguém que realmente tenha construído algo relevante.

Não estou falando de fortuna. Alguém pode não ter fortuna e ser excelente no que faz, ter resultados e ter construído algo de fato. Nessa época de internet, existe muito barulho, mas pouco resultado. Procure quem tenha construído coisas admiráveis. Afinal, são os resultados que legitimam um líder.

Por exemplo, inspirado por uma amiga chamada Patrícia Meirelles, da qual gosto muito, eu logo criei na fundação do Gerando Falcões um Conselho Consultivo com pessoas muito mais experientes que eu. Meu conselho tem mais de vinte líderes extremamente bem-sucedidos nas áreas em que atuam. Um time formado por executivos e executivas, filantropos, empreendedores, mulheres e homens. É incrível o tanto que aprendo com eles e o quanto eles agregam ao crescimento do Gerando Falcões. Recentemente, também criei o Conselho de Gestão, focado 100% em dar ainda mais eficiência e nos apoiar na replicação da ONG pelo Brasil.

Eu não tenho vergonha de pedir ajuda. As melhores ideias e programas que implantamos, em sua maioria, não foram ideias nascidas na minha cabeça. Vieram da rede de professores, mentores, conselheiros, que desenvolvi para apoiar o Gerando Falcões.

Não ser autor da ideia não te diminui como líder. Não faz de você melhor ou pior. O importante é que seja feito. Eu sempre foco no impacto, independentemente de quem pensou primeiro. Quando não sou o autor da ideia, sempre que posso, faço questão de citar a pessoa dona daquilo para honrá-la merecidamente.

Por exemplo, a ideia de criar a área de qualificação profissional do Gerando Falcões veio da mente brilhante e amiga, Carmela Borst, na época vice-presidente de Marketing da Oracle para a América Latina.

Eu queria implantar um curso de programação para ensinar jovens de periferias e favelas a programar, só que não tinha o recurso necessário e não tinha profissionais para fazer o programa dentro do Gerando Falcões. Ela disse que eu não precisava ter os profissionais nem o recurso, desde que me conectasse com quem tinha os profissionais, dentro de empresas, que podiam ser voluntários. Ela indicou o caminho: faça parcerias.

Como resultado, três meses depois, estávamos inaugurando o primeiro curso de programação do Gerando Falcões na comunidade, que atende dezenas de jovens vindos de famílias de extrema baixa renda.

Depois, fizemos novas parcerias com Microsoft, SAP, CA e Accenture, formando centenas de jovens programadores e colocando muitos deles no mercado de trabalho para atuar em empresas de ponta do país.

Hoje, a área de qualificação profissional do Gerando Falcões tem dezenas de parcerias, com cursos de vendas, logística, inglês, empreendedorismo e até uma cozinha dentro da comunidade, construída em conjunto com a Hershey's.

A Carmela estava certa, eu não preciso saber cozinhar para ter uma cozinha. Eu precisava conectar as pontas, juntar as forças, conhecimentos e a mágica social estaria pronta. Na verdade, a gente precisa se juntar com gente boa e as melhores ideias e iniciativas vão surgir.

Olhe para as pessoas boas deste país. Elas estão ao lado de outras pessoas boas, uma melhor que a outra. Agora, repare aquelas pessoas ruins, de baixos valores e práticas duvidosas, que vivem aprontando. Ao lado delas, tem uma quadrilha de gente ruim, aprontando e fazendo o que não deveria ser feito.

Eu já comentei em capítulo anterior deste livro sobre um amigo chamado Thiago Oliveira. Ele era *office boy*, morava na periferia de São Paulo e fundou a IS Logística. Muito focado em gestão, fez a empresa crescer. Recentemente, vendeu a companhia por vários milhões.

Antes de voltar aos negócios, ele vai passar um tempo estudando inglês, junto com a família, nos Estados Unidos. Antes disso, ele decidiu passar quase um ano trabalhando voluntariamente no Gerando Falcões. Ele tem nos ajudado a crescer assustadoramente. Thiago me ajuda a tomar importantes decisões e tem me mostrado onde precisamos ser melhores. Ele vai, semanalmente, até a ONG na comunidade e dedica seu tempo junto com meu time. Eu preciso reconhecer que, quando o assunto é gestão, o Thiago é muito melhor que eu e, por isso, eu amo tê-lo entre nós. Ele me faz crescer.

Você morando na favela ou na Faria Lima, sendo rico ou pobre, procure as melhores pessoas para se relacionar e você vai crescer estando ao lado delas de forma exponencial. Se possível, crie um conselho para seu negócio. Existem grandes empresas no país que não têm conselho consultivo. O fundador não aceita. Só a visão dele pode prevalecer. Ouça, pergunte, aprenda.

Como a dica daquele treinador que me reprovou na peneira do time de futebol, vá pro jogo com gente mais experiente, que domine o assunto melhor que você e esteja à sua frente. É possível que você tome porrada. Às vezes, pode chegar em casa machucado e querendo desistir do jogo, mas se perseverar, vai crescer e alcançar alturas inimagináveis.

10

DESTRUINDO TETOS

Uma vez, Ricardo Guerra, conselheiro do Gerando Falcões e diretor comercial do Gympass, *startup* brasileira que promove saúde e bem-estar por meio de atividade física, me disse, olhando firmemente nos meus olhos, que sobre a minha cabeça não existia mais teto.

Eu estava a poucos minutos de começar uma palestra para centenas de colaboradores do Gympass. Aquela frase me marcou muito e causou um curto-circuito na minha cabeça.

Os tetos servem pra dizer até onde podemos chegar e qual a altura dos nossos voos. Os tetos estão lá para nos reduzir e apontar limites emocionais, profissionais e em nossos relacionamentos.

Os tetos, francamente e, desculpe a palavra, são uma merda. Só servem pra nos ferrar e nos prender ao chão. O teto joga contra nossos potenciais, sonhos e possibilidades.

Eu acredito que os tetos vão sendo forjados dentro do nosso imaginário através das experiências que temos na infância, adolescência, juventude e, finalmente, chegamos na vida adulta já com um cenário de onde podemos chegar definidos.

Milhares de pessoas perdem oportunidades maravilhosas todos os dias porque um maldito teto diz que aquilo é muito e seria melhor não arriscar.

Tantas ideias sublimes nasceram na cabeça de jovens dentro de universidades, ou de executivos em empresas, mas na hora de tirar do papel, de apresentar ao presidente da companhia, aquele teto disse que seria melhor não avançar o limite permitido. E tudo ficou para trás.

Voltando a questão do teto, aquela frase do Ric, como o chamo carinhosamente, minutos antes da minha palestra, me fez pensar muito. Será que realmente não existia teto sobre minha cabeça?

Eu já tinha superado a pobreza. Havia criado o Gerando Falcões. Estava aumentado a captação de recursos, ano após ano, mobilizando marcas e empresas. Como consequência do impacto realizado na comunidade, estava recebendo prêmios e sendo reconhecido pela sociedade brasileira.

Aparentemente, não havia teto sobre a minha cabeça. Mas, sim. Existia. Talvez eu havia colocado o teto mais para cima, mas ele estava lá impedindo que eu elaborasse um sonho mais ousado e desafiador.

Eu passei semanas sendo confrontado com aquela afirmação. Um dos meus melhores amigos dizia que não havia mais teto, mas o teto ainda estava lá. Confuso.

Mas eu localizei. Embora estivesse causando um impacto muito relevante na minha comunidade, meu teto dizia respeito à expansão do Gerando Falcões. O projeto de expansão mexia muito comigo, com minha estabilidade, com minhas certezas e deixava o futuro mais nublado.

Afinal, o recurso financeiro que eu captava todos os anos já não seria mais suficiente para abrir dezenas de novas unidades, a minha forma de liderar equipes seria desafiada pela chegada de novos funcionários, de várias favelas e periferias do Brasil.

Eu teria de assumir novos compromissos com a sociedade, cronogramas, posicionamento diante da mídia e tudo aquilo mexia com meu estômago, porque meu teto estava lá, tentado dizer que estava ok onde eu havia chegado.

O teto me dizia: “Edu, para com isso. Olha onde você chegou. Tudo isso está ótimo. Você já fez muito. Não precisa arriscar tanto. Outras pessoas vão mudar as favelas. É papel do Estado. Você não precisa chamar a responsabilidade pra você”.

Gerar um impacto pequeno, médio, grande ou gigante, passa pela coragem de dizer ao teto: você não faz mais parte da minha vida, eu recuso aceitar a sua presença, você está impedido de permanecer acima da minha cabeça. Teto, eu estou acima de você e a partir de hoje, você estará debaixo dos meus pés e não mais acima da minha cabeça.

Lembro-me de ter levado o amigo e *coach* Fábio Giacomini, fundador da Um%, para dois dias de treinamento com o time do Gerando Falcões no sítio RV, um local de alegria e amor que meu amigo Roberto Vilela sempre nos empresta para programas de desenvolvimento de liderança. Em uma das facilitações do Fábio, que trabalha crenças, valores e a forma como enxergamos o mundo, ficou muito nítido que manter um teto era nocivo não apenas para mim, mas para o Brasil, para o futuro e as novas gerações.

Com um teto sobre a minha cabeça, manter o Gerando Falcões em Poá era mais que suficiente. Com um teto um pouco mais acima, criar uma rede com algumas unidades já seria ótimo. Agora sem o teto, não teria mais limites. Nada menos que criar a maior rede de ONGs do planeta e transformar a realidade das favelas do Brasil seria aceitável.

SEM TETO,
O SONHO FICA
MAIOR E VOCÊ NÃO
TEM OUTRA SAÍDA
A NÃO SER
ENCONTRAR
CAMINHOS
INOVADORES PARA
CHEGAR LÁ.

A sua forma de enxergar o mundo é profundamente alterada no momento em que tetos não existem mais. Junto com eles, se vão os limites imaginários.

Como já disse neste livro, consegui investimento dos empresários Jorge Paulo Lemann, Carlos Wizard, Daniel Castanho e Flávio Augusto da Silva para dar início ao sonho de criar uma rede de ONGs, abrindo até 10 unidades nos próximos anos e tocar a vida de pelo menos 18 mil famílias. Faço questão de frisar, sou muito grato a esse quarteto mágico de investidores.

Mas depois de demolir os meus tetos, minha decisão mudou. Vou atrás de mais investimentos, mais parceiros e criar muito mais que 10 unidades. Vamos ampliar.

Lembro-me de uma ligação do Daniel Castanho, um sujeito apaixonado pela vida e empreendedor fora de série. Ele disse: "Edu, eu estou investindo naquilo que será a maior rede de ONGs do mundo e vamos mexer com o ponteiro social. Acredito na sua liderança e é isso que vamos fazer".

Existe um longo caminho pela frente. Vou dedicar os próximos 20, 30, 40 anos da minha vida, junto com minha esposa Mayara e um time de pessoas que sou fã e admirador, como Lemaestro, diretor de Expansão, nesta tarefa de criar a maior rede de ONGs do planeta e dar um novo rumo para milhares de moradores de favelas.

Imagine se Nelson Mandela tivesse um teto acima da sua cabeça. O quanto isso faria o povo sul-africano sofrer ainda mais nas mãos do regime opressor.

Imagine se Ayrton Senna tivesse um teto, como seria o domingo de milhões de brasileiros, sem aquele maluco acelerando forte nas curvas e fazendo o inimaginável, com um carro inferior dos seus adversários.

Se o primeiro-ministro britânico Winston Churchill aceitasse um teto, Hitler poderia ter avançado sobre toda a Europa e efetivado seu domínio perseguindo e matando ainda mais pessoas.

O teto é limitante pra você porque sem ele você tem a oportunidade de se desenvolver mais e crescer a uma velocidade incrível. Quando não há teto, o sonho fica maior e você não tem outra saída a não ser encontrar caminhos inovadores para chegar lá.

Quebrar o teto é um dos maiores presentes que você pode dar a si mesmo e às pessoas que te cercam. Imagine como seria o mundo se mais malucos, que não tem compromisso com o status quo, demolissem os seus tetos individuais.

Teríamos mais avanços significativos na economia e na renda, que seria melhor distribuída, na segurança pública e na educação, que superaria o atraso da sala de aula. Veríamos o surgimento de uma nova política composta de líderes nacionais comprometidos com a justiça social. As cidades seriam mais inteligentes, as favelas geradoras de riqueza. Encontraríamos cura para doenças antes incuráveis. O mundo mudaria mais rapidamente.

Eu já citei Elon Musk neste livro. Um cara atípico, fundador da Tesla e SpaceX, ele quer ir pra Marte e colonizar o planeta. Parece completamente insano. Mas pense comigo, este cara há muito tempo não tem mais teto. Investir todo o dinheiro no sonho de ir pra outro planeta é de uma ousadia absurda.

Imagine o esforço emocional, o mergulho que fez dentro de si, as dores que já sentiu, as reflexões e conversas que teve consigo mesmo para chegar neste estágio de coragem e desenvolvimento pessoal.

Será que não precisamos de mais Elons? Nas periferias e favelas, nas zonas de guerra, nos temas mais delicados do mundo? Na sua área, no seu departamento, lá na sua casa?

Pergunte a si mesmo: “Se não existisse um teto sobre a sua cabeça, o que seria capaz de fazer”?

O mundo pode ser muito melhor e sua vida mais extraordinária se você não permitir que a sociedade – com seus padrões sufocantes – delimite a altura do seu voo.

Para sua reflexão, deixo uma frase de Kierkegaard: "Não há nada que assuste tanto um homem quanto ser capaz de descobrir a enormidade do que ele pode fazer e se tornar".

GRATIDÃO

O sentimento que mais tento cultivar na minha alma é a gratidão. Entre tudo que sinto, o que mais mexe emocionalmente comigo é gratidão em relação aos acontecimentos da minha vida, que me ensinam, me fazem amadurecer e me preparam para a próxima etapa.

A gratidão me conduz para uma vida mais plena, equilibrada e feliz. Eu acredito até que o caminho mais viável para a alegria é ser grato. É impossível alguém ingrato ser plenamente feliz. A conta não fecha.

Só estamos prontos para conquistar experiências e sonhos maiores no futuro, se formos capazes de ser gratos ao passado e onde conseguimos chegar na vida.

É como ir pedir aumento ao patrão desferindo golpes e despejando veneno na mesa em relação ao salário pequeno. Ele não vai ter estímulo necessário para te oferecer o aumento. Experimente começar dizendo o quanto você é grato por ter chegado até aqui e que, se houver a oportunidade, ficará ainda mais feliz de avançar na vida. Você vai ter criado um clima completamente diferente, produzindo o estímulo correto.

Ingratidão não te ajuda em nada. Não colabora com seu crescimento, não te faz amadurecer emocionalmente.

A ingratidão é um veneno que mata amizades, destrói o brilho das relações e cria obstáculos para o futuro. Quanto mais ingratidão, mais distanciamento, mais barreiras para relação humana. Ingratidão é algo desprezível que precisa ser eliminado o quanto antes.

Quem se permite cultivar uma alma ingrata, torna-se automaticamente amargo, infeliz. Tente começar o dia sendo grato pelo ar que está respirando, pela água que vai beber e todas as refeições que poderá fazer durante o dia.

Experimente ser grato pela chance de ter recebido educação suficiente para ler este livro, arrumar um emprego e ter um salário para bancar suas despesas básicas do mês.

Tente ser grato por sua família, seu lar. Tire alguns minutos pela manhã ou durante o dia para ser grato a todas as pessoas que te amam e doaram um amor genuíno a você, como seus pais, filhos e seus verdadeiros amigos.

Provoque a experiência de ser grato às pessoas que agregaram na sua vida com um *feedback*, um abraço, uma palavra amiga, um sorriso ou até mesmo um prato de comida em um momento de extrema dificuldade.

Eu sou grato por ter nascido em uma favela e vivido dentro de um barraco, que não tinha chão de cimento, banheiro e um berço para eu dormir. Este contexto me fortaleceu e trouxe musculatura para minha alma.

Eu sou grato por ter visitado meu pai dentro de um presídio. Isso me fez aprender que todo erro tem suas consequências e muitas vezes estas podem ser dolorosas, mas elas ensinam e podem modificar caráter e destinos.

Eu sou grato por não ter tido uma bicicleta na minha adolescência, mesmo quando a maioria dos meus amigos já tinham. Isso me fez aprender a dar valor às pequenas coisas. Mesmo que seu valor financeiro seja ínfimo, elas têm seu valor emocional.

Sou grato pelas centenas de "nãos" que recebi em minhas tentativas de abrir portas para o futuro, porque eles me ensinaram que o caminho para o "sim" é a persistência obstinada e estava em minhas mãos.

Sou demasiadamente grato por ter crescido na periferia, em um contexto de desigualdade, onde faltavam qualificação e oportunidade, porque eu tive que

SOU GRATO PELAS CENTENAS DE “NÃOS” QUE RECEBI, PORQUE ELES ME ENSINARAM O CAMINHO PARA O “SIM”.

aprender a desenhar meu próprio mapa da inclusão social sem esperar pelo Estado ineficiente e mórbido.

Eu sou grato por não ter tido acesso à educação, ao esporte e à cultura de forma qualificada, porque essa ausência fez nascer dentro de mim o propósito da minha vida e a razão pela qual levanto todos os dias da cama.

Eu sou grato por ter vivenciado, em muitos momentos, tiros e guerras sociais na comunidade onde cresci, porque isso me fez valorizar o fôlego de vida que Deus me deu e a beleza de cada dia que se inicia.

Sou grato pelo meu pai ter abandonado o crime e voltado para casa. Essa foi a lição de que nunca é tarde para mudar e que as pessoas merecem uma segunda chance.

Sou grato, inclusive, às enchentes que já enfrentamos. Tirar água de dentro de casa, fezes e urina dos outros, agregou ao meu caráter humildade e coragem de levantar a cabeça e seguir em frente, mesmo após ter sido golpeado.

Sou grato a todas as vezes que pedi algo que envolvia dinheiro ao meu pai e à minha mãe e eles não puderam me oferecer. Isso ia me mostrando que, se eu quisesse algo, eu ia ter que ir lá e conquistar do meu jeito e com meu esforço individual.

Eu tenho tantas coisas pra ser grato...

Gratidão é uma escolha. Podemos encontrar razões pra odiar ou razões pra ser grato. Eu prefiro ser grato – todo dia.

Sou grato pela oportunidade de conviver entre pobres e ricos. Brancos e negros. Grato pela chance de conviver entre gays, evangélicos, espíritas, ex-presidiários, metalúrgicos, professores, diaristas e grandes empresários.

Sou grato pelas pessoas que trabalham comigo, que me mostram que sucesso é o time, e não o talento individual.

Grato demais pelas pessoas que pensam diferente de mim, que me confrontam e me fazem mudar de ideia ou melhorar a minha capacidade de convencimento e diálogo.

Sou grato pela fé que existe dentro de mim. A minha fé é orientada a acreditar que pau que nasce torno não está sentenciado a morrer torto. A minha fé está baseada no amor. A minha fé me faz acreditar que as pessoas são muito melhores do que o pior que elas cometeram nesta vida e merecem um novo recomeçar. Você merece se perdoar e recomeçar, agora.

Sou grato a cada pai e mãe que confia na minha liderança e na equipe do Gerando Falcões e entrega seu filho para cuidarmos da sua educação e de seu futuro como cidadão.

Sou grato à minha mãe, que dedicou sua vida pra eu ser alguém melhor! Muito grato aos amigos de infância, embora alguns tenham morrido, todos me ensinaram muito sobre como sobreviver na comunidade.

Gratidão é um remédio. Ela pode fechar feridas, estancar o sangue e nos colocar de pé novamente. Se eu não fosse grato a tudo que aconteceu na minha vida, eu seria um revoltado.

A minha linha é muito tênue. Revolta por tudo que me faltou e foi negado ou gratidão pela oportunidade de ter aprendido com a escassez e superado milímetro a milímetro, palmo a palmo.

Vida e morte caminham juntas. Amor e ódio. Ingratidão e gratidão também. Todo dia precisamos levantar da cama e fazer uma escolha sobre qual sentimento vamos cultivar em nossa alma.

Se fizermos a escola errada, quem vai perder somos nós mesmos. Nós que vamos deixar de viver o melhor que esta vida pode oferecer e vamos deixar de acessar nossos melhores recursos e nossa riqueza interior.

Gratidão é uma fonte inesgotável de poder. Poder intenso. Quem é grato tem mais poderes em relação aos ingratos e aos que não usam esse recurso. Ninguém quer estar com os ingratos, investir seu tempo. Por outro lado, todo mundo quer apoiar, colaborar, investir, conviver em profundidade com as pessoas que são gratas, inclusive nos detalhes.

Por fim, sou grato a você leitor e amigo, que dedicou seu tempo em cada página deste livro. Grato por acreditar na visão que me fez emergir da favela e ir para o mundo. E do mundo para a favela.

E serei ainda mais grato, se você tiver identificado lições que possam ser inseridas na sua jornada de busca e luta pelos seus sonhos. Espero que estas lições te ajudem a saltar obstáculos, encontrar seu propósito e potencializar seus resultados.

Nesta jornada da vida, enquanto você tenta chegar lá, seja grato a cada novo dia, sorriso, abraço e pessoa que cruzar seu caminho. Levantar da cama se tornará muito mais fácil e prazeroso.

Para conhecer mais o Gerando Falcões
e os propósitos que movem a minha vida

AGRADECIMENTOS

Tenho muitas pessoas para agradecer. Quero começar com os amigos que me encorajaram a escrever esse livro, 6 anos depois de ter colocado o livro *Jovens Falcões* na rua. Prefiro não citar nomes, pois foram muitos que acreditam nessa proposta e me motivaram a seguir adiante.

Quando comecei a fazer a obra, a Ariane Noronha, excelente jornalista, que já trabalhou na assessoria de imprensa do Gerando Falcões, dedicou seu tempo e carinho na revisão do livro. Ela também me deu ótimos e verdadeiros *feedbacks*, mesmo dividindo seu tempo com seu filho recém-nascido, o lindo Caetano.

Logo depois o livro foi parar nas mãos do Anderson Cavalcanti, fundador da editora Buzz. É muita sorte minha ter um líder, empreendedor e competente editor como o Anderson. Ele já fez vários *best-sellers* no país, tem uma trajetória vitoriosa e me ajudou a colocar este livro, que faz parte da minha alma, na rua e chegar até suas mãos.

Meus sinceros agradecimentos a todos os envolvidos com o projeto Gerando Falcões, que de alguma forma dedicam seu tempo e ajudam a transformar favelas e periferias em lugares mais vibrantes.

Obrigado aos colaboradores Adalberto Carvalho da Silva, Alex dos Santos – o Lemaestro –, Aline Frascareli Lira Mazzucatto, Allan Perez Meira, Amanda Carla Boliarini – a Amandinha –, Anderson da Silva Machado, Andressa Cristina da Silva – a Dessa –, Angela Regina de Jesus Bueno, Thiago Henrique da Silva, Beatriz Ferreira Souza, Bruno Luiz do Nascimento Desiderio, Camila do Carmo Soares de Lima, Cauiza Aparecida Ribeiro Lima, Cleusa da Silva Alves, Cristiane Celeste da Silva, Eliseu Roberto Junior, Emili Mirella, Everton Felipe da Silva, Genivaldo dos Santos, Igor Rocha, Jaquely de Vasconcelos Azevedo, Juliete Santos Gomes, Leonardo Moraes Precioso, Marcio Lira, Marcos de Oliveira Lopes, Marcos Paulo, Maria Jaciara de Oliveira Roberto, Mayara Nassar Cardoso Lira, Miquéias Correia da Costa, Nanci Menezes Araújo, Nilson Ferreira, Nilson de Jesus Costa, Osmar da Silva Fiotkoski, Paola Rodrigues Alves, Sérgio Henrique Candido, Suzana Fernandes, Tamara Costa Ferreira, Tatiane Silva Lopes, Vanessa Ferreira da Silva, Vi Thi Vo.

Agradeço também aos voluntários do Gerando Falcões: Emili Mirela, Junior Reis, Giulia Reis, Amanda Souza de Jesus, Verônica Aragão Dias, Vania Albertini de Paula Bergaminho, Valdirene Albertini de Paula,

Fabia Maria de Mello, Isabella de Casas Santos, Silvana Cristina Xavier, Ingrid Barbosa Nunes de Souza, Tábata Nunes Rocha, Fabrício Silva, Arthur Sávio Moreira Montenegro Rocha, Everton Viana de Lima, Amanda Neves, Samara Hora, Giba, Josmar Machado.

Não poderia deixar de citar e agradecer ao Conselho Consultivo, que me apoia tanto: Carol Maluf, Daniel Castanho, Felipe Almeida, Fernando Freiberger, Janaina Nascimento, Mafoane Odara, Marcus Hadade, Patrícia Meirelles, Patrícia Villela Marino, Rafael Consentino, Renato Meirelles, Ricardo Guerra, Ricardo Politi, Roberta Matarazzo, Roberto Vilela, Rudi Fischer, Sandro Magaldi, Silvio Genesini, Sofia Esteves, Thiago Oliveira, Welder Peçanha. Ao Conselho de Gestão, meu "muito obrigado" ao Fabio Kapitanovas e Sandra Gioffi, e ao Comitê de Imagem e Comunicação, Carmela Borst, Marcel Sacco e Celio Ashcar.

Meu imenso carinho e agradecimento aos patrocinadores do Gerando Falcões: Motorola, Geração de Valor, IS Logística, Vult Cosmética, Mentos, Brison Vilela, Casa Tognini, Oracle, HCamargo, SupplierCard, SoftwareOne, RedBelt, Niteo, CA Technologies, Ambev, Oracle, Microsoft, Brazil Foundation , Accenture, nit, Programação Sap, Hershey's, Barry Callebaut, Consulado da Mulher, Bueno Wines, FR Vendas, Sebrae, Fleichman Advogados, Banco ABN Amro, Vinheria Percussi, McDonald's, RV Ímola, Grupo Tpc, Nuper Programmers, Lide Futuro, C4C, Ingresse, Somos Educação, Logos Technologies, JR Diesel, Polo Wear, Tejofran, Yougreen, Panosocial, Pizza Prime, Visa, Aloha, Fundação Lemann, Wise Up.

DOAÇÕES

Você também pode apoiar o Gerando Falcões e ajudar a levar cada vez mais projetos e oportunidades às comunidades do Brasil participando do programa "Amigos da Comunidade". Por meio dele, é possível fazer doações mensais, no valor que desejar, e ajudar milhares de crianças, jovens e adultos atendidos pela organização social. Basta acessar o site: www.gerandofalcoes.com e clicar na aba "doe".

O Gerando Falcões também recebe doações em qualquer quantia na conta corrente bancária 15210-2, agência 6708-3, por meio do Banco do Brasil.

Em 2018, a ONG realizou uma parceria com a Visa, em que qualquer cliente pode apoiar a causa do Gerando Falcões pelo site www.vaidevisa.visa.com.br. É só clicar na aba "causas", cadastrar o cartão de crédito e, na aba, "Educação e Capacitação", escolher apoiar o Gerando Falcões. Feito isso, a cada vez que você utilizar o cartão de crédito, a Visa fará uma doação para a organização social, sem descontar nada do cliente que fizer o cadastro. A adesão é simples, rápida e ajudará a salvar vidas por meio de projetos sociais criados pela ONG às comunidades do Brasil.

O Gerando Falcões conta com mais de 20 projetos sociais em periferias para crianças, jovens e adultos voltados para cultura, esporte, qualificação profissional e geração de renda. Entre as ações, estão oficinas de tênis, boxe, dança, pintura, coral, além de cursos de maquiagem, programação, logística, empreendedorismo. No quesito "geração de renda", a ONG realiza ainda a reinserção de ex-presidiários ao mercado de trabalho em parceria com empresas privadas. Para conhecer todas as ações do Gerando Falcões e onde as atividades são realizadas, acesse:

www.gerandofalcoes.com

Fontes DRUK, NEWZALD